MÍDIA

MÍDIA
Propaganda política e manipulação

Noam Chomsky

Tradução
FERNANDO SANTOS

wmf **martinsfontes**

Esta obra foi publicada originalmente em inglês com o título
MEDIA CONTROL
por Seven Stories Press
Copyright © Noam Chomsky, 2002
Publicado através de acordo especial com Seven Stories em conjunto com seu agente devidamente nomeado VBM Agência Literária.

Todos os direitos reservados. Este livro não pode ser reproduzido, no todo ou em parte, nem armazenado em sistemas eletrônicos recuperáveis nem transmitido por nenhuma forma ou meio eletrônico, mecânico ou outros, sem a prévia autorização por escrito do Editor.

Copyright © 2013, Editora WMF Martins Fontes Ltda.,
São Paulo, para a presente edição.

1ª edição 2013
6ª tiragem 2023

Tradução
FERNANDO SANTOS

Acompanhamento editorial
Márcia Leme
Revisões
Maria Luiza Favret
Letícia Castello Branco Braun
Edição de arte
Katia Harumi Terasaka
Produção gráfica
Geraldo Alves
Paginação
Studio 3 Desenvolvimento Editorial
Imagem da capa
©Kyoshino *(fotógrafo). Foto de uma tela de TV com estática. iStockphoto*

Dados Internacionais de Catalogação na Publicação (CIP)
(Câmara Brasileira do Livro, SP, Brasil)

Chomsky, Noam
  Mídia : propaganda política e manipulação / Noam Chomsky ; tradução Fernando Santos. – São Paulo : Editora WMF Martins Fontes, 2013.

  Título original: Media control.
  ISBN 978-85-7827-774-1

  1. Comunicação de massa – Aspectos políticos 2. Comunicação de massa e opinião pública 3. Propaganda 4. Propaganda – Estados Unidos I. Título.

13-12046   CDD-320.014

Índices para catálogo sistemático:
1. Propaganda política : Ciência política   320.014

Todos os direitos desta edição reservados à
Editora WMF Martins Fontes Ltda.
Rua Prof. Laerte Ramos de Carvalho, 133 01325-030 São Paulo SP Brasil
Tel. (11) 3293-8150 e-mail: info@wmfmartinsfontes.com.br
http://www.wmfmartinsfontes.com.br

SUMÁRIO

MÍDIA
PROPAGANDA POLÍTICA E MANIPULAÇÃO 9
   Os primórdios da história da propaganda política 11
   Uma democracia de espectadores 14
   Relações públicas 22
   A construção da opinião 31
   Representação como realidade 36
   A cultura da dissidência 39
   Cortejo de inimigos 43
   Percepção seletiva 47
   A Guerra do Golfo 54

O JORNALISTA MARCIANO 69

MÍDIA
Propaganda política e manipulação

CONSIDERANDO O PAPEL QUE A MÍDIA ocupa na política contemporânea, somos obrigados a perguntar: em que tipo de mundo e de sociedade queremos viver e, sobretudo, em que espécie de democracia estamos pensando quando desejamos que essa sociedade seja democrática? Permitam que eu comece contrapondo duas concepções diferentes de democracia. Uma delas considera que uma sociedade democrática é aquela em que o povo dispõe de condições de participar de maneira significativa na condução de seus assuntos pessoais e na qual os canais de informação são acessíveis e livres. Se você consultar no dicionário o verbete "democracia" encontrará uma definição parecida com essa.

Outra concepção de democracia é aquela que considera que o povo deve ser impedido de conduzir seus assuntos pessoais e os canais de informação devem ser estreita e rigidamente controlados. Esta pode parecer uma concepção estranha de democracia, mas é importante entender que ela é a concepção predominante. Existe uma longa história, que remonta às primeiras revoluções democráticas na Inglaterra do século XVII, que expressam, em grande medida, esse ponto de vista. Vou ater-me somente ao período moderno e dizer algumas palavras sobre como essa noção de democracia se desenvolve e por que e como o problema da mídia e da desinformação se insere nesse contexto.

OS PRIMÓRDIOS DA HISTÓRIA DA PROPAGANDA POLÍTICA

Comecemos com a primeira operação de propaganda governamental de nossa era, que aconteceu no governo de Woodrow Wilson, eleito presidente em 1916 com a plataforma "Paz sem Vitória". Isso aconteceu bem na metade da Primeira Guerra Mundial. A população estava extremamente pacifista e não via motivo algum que justificasse o envolvimento numa guerra europeia. O governo Wilson estava, na verdade, comprometido com a guerra e tinha de fazer alguma coisa a respeito. Foi constituída uma comissão de propaganda governamental, a Comissão Creel, que conseguiu, em seis meses, transformar uma população pacifista numa população histérica e belicosa que queria destruir tudo o que fosse alemão, partir os alemães em pedaços, entrar na guerra e salvar o mundo. Esse foi um feito importante, que levou a outro feito. Nessa mesma época, e após a guerra, foram utilizadas essas mesmas técnicas para insuflar um histérico Pânico Vermelho, como ficou conhecido, que obteve êxito considerável na destruição de sindicatos e na eliminação de problemas perigosos como a liberdade de imprensa e a liberdade de pensamento político. Houve grande apoio por parte da mídia e dos líderes empresariais, os quais, de fato, organizaram e investiram muito nessa iniciativa. E ela foi, de modo geral, um grande sucesso.

Entre os que participaram ativa e entusiasticamente na guerra de Wilson estavam intelectuais progressistas, pessoas do círculo de John Dewey e que se orgulhavam, como se pode ler nos textos que escreveram na época, de ter demonstrado que o que chamavam de "membros mais inteligentes da comunidade", a saber, eles próprios, eram capazes de conduzir uma população relutante para a guerra por meio do terror e da indução a um fanatismo xenófobo. Eles lançaram mão dos instrumentos mais diversos. Inventaram, por exemplo, que os hunos cometiam uma série de atrocidades, como arrancar os braços de bebês belgas, e toda sorte de fatos horripilantes que ainda podem ser encontrados em alguns livros de história. Boa parte desse material foi criada pelo Ministério da Propaganda britânico, dedicado à época – como consta de suas resoluções secretas – "a controlar a opinião da maior parte do mundo". Acima de tudo, porém, eles queriam controlar a opinião dos membros mais inteligentes da comunidade norte-americana, os quais, então, difundiriam a propaganda política que estavam forjando e levariam o país pacifista à histeria belicista. Funcionou. E funcionou muito bem. E nos deixou uma lição: a propaganda política patrocinada pelo Estado, quando apoiada pelas classes instruídas e quando não existe espaço para contestá-la, pode ter consequências importantes. Foi uma lição aprendida por Hitler e por muitos outros e que tem sido adotada até os dias de hoje.

UMA DEMOCRACIA DE ESPECTADORES

Outro grupo que ficou impressionado com esses resultados foi o dos teóricos da democracia liberal e figuras de destaque da mídia, como Walter Lippmann, decano dos jornalistas americanos, importante crítico da política interna e externa e também importante teórico da democracia liberal. Se dermos uma olhada em sua coletânea de ensaios, verificaremos que eles trazem subtítulos como "Teoria progressista do pensamento liberal democrático". Lippmann estava envolvido com essas comissões de propaganda e valorizava seus feitos. Ele defendia que aquilo que denominava "revolução na arte da democracia" podia ser usado para "construir o consenso", isto é, obter a concordância do povo a respeito de assuntos sobre os quais ele não estava de acordo por meio das novas técnicas de propaganda política. Ele também achava que essa era uma boa ideia, e, na verdade, necessária. Necessária porque, como dizia, "os interesses comuns escapam completamente da opinião pública" e só podem ser compreendidos e administrados por uma "classe especializada" de "homens responsáveis" que são suficientemente inteligentes para entender como as coisas funcionam. Essa teoria defende que somente uma pequena elite, a comunidade intelectual a que se referiam os deweynistas, é capaz de entender os interesses gerais, aquilo com que todos nos preocupamos, e que esses temas "escapam às pessoas comuns". Esta é uma concepção que existe há centenas de anos. É também uma típica concepção leninista. Na verdade, ela se assemelha muito à noção leninista de que uma vanguarda de intelectuais revolucionários conquista o poder do Estado usando as revoluções populares como a força que os conduz até ele e depois guia as massas ignorantes para um futuro que elas são estúpidas e incompetentes demais para vislumbrar sozinhas. A teoria liberal democrática e o marxismo-leninismo estão muito próximos em seus pressupostos ideológicos comuns. Penso que essa é uma das razões pelas quais, ao longo dos anos, as pessoas não têm encontrado dificuldade para transitar de uma posição a outra sem nenhuma sensação especial de mudança. É apenas uma questão de determinar onde está o poder. Pode ser que aconteça uma revolução popular e que ela nos ponha no interior do poder do Estado; ou pode ser que não, e, nesse caso, vamos simplesmente trabalhar para as pessoas que detêm o poder de verdade: os empresários. Mas faremos a mesma coisa. Conduziremos as massas ignorantes para um mundo que elas são estúpidas demais para compreender sozinhas.

Lippmann reforçou esse argumento por meio de uma teoria da democracia gradual bem elaborada. Ele afirmava que numa democracia que funciona adequadamente existem classes de cidadãos. Em primeiro lugar, existe a classe de cidadãos que têm de assumir um papel ativo na gestão dos assuntos de interesse público. Essa é a classe especializada. São as pessoas que analisam, executam, tomam decisões e administram as coisas nos sistemas político, econômico e ideológico. Trata-se de um percentual pequeno da população. Naturalmente, qualquer um que avance essas ideias é sempre parte desse pequeno grupo, e eles estão discutindo sobre o que fazer com *aqueles outros*. Aqueles outros, que estão fora do pequeno grupo, a grande maioria da população, são o que Lippmann chamava de "rebanho desorientado".

Temos de nos proteger do "tropel e do ronco de um rebanho desorientado". Ora, existem duas "funções" numa democracia: a classe especializada, os homens responsáveis, assume a função executiva, o que significa que eles pensam, planejam e compreendem os interesses de todos. Depois, temos o rebanho desorientado, e ele também tem função na democracia. Sua função na democracia, dizia ele, é a de "espectador", e não de participante da ação. Porém, por se tratar de uma democracia, esse rebanho ainda tem outra função: de vez em quando ele tem a permissão para transferir seu apoio a um ou outro membro da classe especializada. Em outras palavras, ele tem a permissão de dizer: "Queremos que você seja nosso líder" ou "Queremos que *você* seja nosso líder." Isso porque se trata de uma democracia, e não de um Estado totalitário. A essa escolha se dá o nome de eleição. Porém, uma vez que ele tenha transferido seu apoio a um ou outro membro da classe especializada, deve sair de cena e se tornar espectador da ação, não participante. Isso numa democracia que funcione de maneira adequada.

E existe uma lógica por trás disso. Existe mesmo uma espécie de princípio moral imperativo por trás disso. O princípio moral imperativo é que a maioria da população é simplesmente estúpida demais para conseguir compreender as coisas. Se tentar participar na administração de seus próprios interesses, só vai causar transtorno. Por essa razão, seria imoral e impróprio permitir que faça isso. Temos de domesticar o rebanho desorientado, impedir que ele arrase, pisoteie e destrua as coisas. É mais ou menos a mesma lógica que diz não ser apropriado deixar uma criança de 3 anos atravessar a rua sozinha. Não se dá esse tipo de liberdade a uma criança de 3 anos, porque esta não sabe lidar com ela. Do mesmo modo, não se permite que o rebanho desorientado se torne participante da ação: ele só vai causar transtorno.

Assim, precisamos de algo que domestique o rebanho desorientado, e esse algo é a nova revolução na arte da democracia: a produção do consenso. A mídia, as escolas e a cultura popular têm de ser divididas. Para a classe política e para os responsáveis pela tomada de decisões, elas têm de oferecer uma percepção razoável da realidade, embora também tenham de incutir nele as convicções certas. Mas lembrem-se: existe aqui uma premissa não declarada. A premissa não declarada – e mesmo os homens responsáveis têm de escondê-la de si próprios – tem que ver com a pergunta de como eles alcançam a posição em que têm autoridade para tomar decisões. A maneira como fazem isso, naturalmente, é servindo as pessoas que têm o poder *de verdade*. As pessoas que têm o poder de verdade são as donas da sociedade, e elas fazem parte de um grupo bem reduzido. Se os membros da classe especializada chegam e dizem: "Podemos servir aos seus interesses", então eles poderão fazer parte do grupo executivo. Mas é preciso agir com discrição. Ou seja, é preciso que eles tenham inoculado dentro de si as crenças e doutrinas que servirão aos interesses do poder privado. A não ser que sejam capazes de dominar essa capacidade, eles não fazem parte da classe especializada. Assim, temos um tipo de sistema educacional direcionado para os homens responsáveis, a classe especializada. Eles têm de ser fortemente doutrinados nos valores e interesses do poder privado e da conexão Estado-corporação que o representa. Se conseguirem alcançar esse objetivo, então poderão fazer parte da classe especializada. O resto do rebanho desorientado só precisa ser distraído. Desviem sua atenção para outro assunto. Não deixem que se metam em confusão. Certifiquem-se de que permaneçam, quando muito, espectadores da ação, dando de vez em quando seu aval a um ou outro dos verdadeiros líderes entre os quais podem escolher.

Muitas outras pessoas já desenvolveram esse ponto de vista. Na verdade, ele é bem convencional. Por exemplo, Reinhold Niebhur, teólogo de destaque e crítico de política externa, às vezes chamado de "teólogo do *esta-*

blishment", o guru de George Kennan e dos intelectuais da família Kennedy, dizia que a razão é uma faculdade extremamente escassa; somente um pequeno número de pessoas a possui. A maioria das pessoas é guiada apenas pela emoção e pelo impulso. Aqueles entre nós que dispõem da razão precisam criar "ilusões necessárias" e "simplificações radicais" emocionalmente poderosas para manter os simplórios ingênuos mais ou menos nos trilhos. Isto se tornou uma parte essencial da ciência política contemporânea. Na década de 1920 e no início da década de 1930, Harold Lasswell, fundador do atual campo das comunicações e um dos principais cientistas políticos americanos, explicava que não deveríamos sucumbir aos "dogmas democráticos que defendem que os homens são os melhores juízes de seus próprios interesses". Porque não são. Nós somos os melhores juízes do interesse da população. Por essa razão, partindo simplesmente da moral vigente, precisamos nos certificar de que eles não tenham a possibilidade de agir com base em seus juízos equivocados. Naquilo que hoje em dia é chamado de Estado totalitário ou Estado militar, é fácil. Basta manter um porrete acima das cabeças deles, e se eles saírem da linha você lhes esmaga a cabeça. Mas como a sociedade tem se tornado mais livre e democrática, perdemos esse poder. Consequentemente, precisamos recorrer às técnicas da propaganda política. A lógica é cristalina. A propaganda política está para uma democracia assim como o porrete está para um Estado totalitário. Esta é uma atitude inteligente e vantajosa porque, uma vez mais, os interesses comuns escapam ao rebanho desorientado: ele não consegue decifrá-los.

RELAÇÕES PÚBLICAS

Os Estados Unidos foram os pioneiros na atividade de relações públicas. Como seus líderes diziam, eles estavam comprometidos com o "controle da mente da população". Eles aprenderam bastante com os êxitos da Comissão Creel e os êxitos na criação do Pânico Vermelho e seus desdobramentos. A atividade de relações públicas teve enorme expansão naquele período. Durante certo tempo, ao longo da década de 1920, ela conseguiu criar uma subordinação quase absoluta da população ao poder do mundo dos negócios. Isso chegou a tal ponto que comitês do Congresso começaram a investigá-la no início da década de 1930. É daí que vem grande parte da informação que temos sobre ela.

As relações públicas representam um vasto campo de atividade. Elas gastam hoje em torno de 1 bilhão de dólares por ano. Durante todo esse tempo, seu compromisso foi *controlar a mente da população*. Na década de 1930, imensos problemas apareceram novamente, como tinha ocorrido durante a Primeira Guerra Mundial. Havia uma profunda depressão e os trabalhadores tinham aperfeiçoado seu nível de organização. De fato, em 1935, os trabalhadores alcançaram sua principal conquista legislativa, a saber, o direito de organização, com a Lei Wagner. Isso provocou dois problemas sérios. Em primeiro lugar, a democracia não estava funcionando bem. Na verdade, o rebanho desorientado estava alcançando vitórias legislativas, e não era assim que as coisas deveriam ser. O outro problema é que as pessoas estavam tendo a possibilidade de se organizar. É preciso manter as pessoas atomizadas, segregadas e isoladas. Elas não podem se organizar, porque assim elas podem deixar de ser apenas espectadoras da ação. Na verdade, se um grande número de pessoas com recursos limitados conseguisse se juntar para ingressar na arena política, elas poderiam vir a se tornar participantes. E isso, de fato, é ameaçador. Para assegurar que esta seria a última vitória legislativa dos trabalhadores e que ela seria o início do fim desse desvio democrático da organização popular, os empresários deram uma resposta à altura. E funcionou. Aquela foi a última vitória legislativa dos trabalhadores. Daquele momento em diante – embora o número de pessoas sindicalizadas tenha aumentado por certo tempo durante a Segunda Guerra Mundial, depois da guerra começou a declinar –, a capacidade de atuação dos sindicatos começou a declinar verticalmente. Isso não aconteceu por acaso. Estamos falando neste caso da comunidade empresarial, que gasta uma enorme soma de dinheiro, dedicação e reflexão para descobrir como lidar com esses problemas por meio da área de relações públicas e de outras organizações, como a National Association of Manufacturers [Associação Nacional da Indústria], a Business Roundtable [Conferência Empresarial], e assim por diante. Elas começaram a trabalhar imediatamente para tentar descobrir um modo de conter esses desvios democráticos.

O primeiro teste aconteceu um ano depois, em 1937. Estava em curso uma greve importante, a greve da Steel, em Johnstown, no oeste da Pensilvânia. Os empresários tentaram uma nova técnica para quebrar o ânimo dos trabalhadores, que funcionou muito bem. Nada de capangas contratados nem violência contra os operários; essa tática já não vinha funcionando muito bem. Em vez disso, apelaram para os recursos mais sutis e eficazes da propaganda. O plano era imaginar formas de colocar a população contra os grevistas, apresentando-os como desordeiros, nocivos à população e contrários ao interesse geral. O interesse geral é o "nosso", o do homem de negócios, do trabalhador, da dona de casa. Todos esses somos "nós". Nós queremos ficar juntos e partilhar de coisas como harmonia e americanismo, e também trabalhar juntos. Aí vêm esses grevistas malvados e desordeiros, criando confusão, quebrando a harmonia e profanando o americanismo. Precisamos detê-los para que todos possamos viver juntos. Tanto o executivo da empresa como o faxineiro têm os mesmos interesses. Nós todos podemos trabalhar juntos e trabalhar em harmonia pelo americanismo, gostando uns dos outros. Basicamente, era essa a mensagem. Um grande esforço foi feito para apresentá-la. Afinal de contas, estamos falando do mundo dos negócios, que, portanto, controla a mídia e dispõe de amplos recursos. E ela funcionou de maneira extremamente eficaz. Mais tarde ficou conhecida como "a fórmula do Vale Mohawk", tendo sido aplicada inúmeras vezes para acabar com as greves. Seus métodos eram chamados de "métodos científicos para pôr fim a greves", e funcionavam muito bem ao mobilizar a comunidade em torno de conceitos insossos e vazios como o americanismo. Quem poderia ser contra isso?

Ou harmonia. Quem poderia ser contra isso? Ou, como no caso da Guerra do Golfo: "Apoie nossas tropas." Quem poderia ser contra isso? Ou o uso de fitas amarelas*. Quem poderia ser contra isso? Nada mais inexpressivo.

Na verdade, qual o sentido de alguém lhe perguntar: "Você apoia a população de Iowa?" Você pode responder "Sim, apoio." ou "Não, não apoio."? Isso não é pergunta que se faça, não faz o menor sentido. Essa é a questão. O objetivo dos *slogans* de relações públicas como "Apoie nossas tropas" é que eles não significam nada. Têm o mesmo significado que a pergunta que quer saber se você apoia a população de Iowa. Sim, é claro, havia uma questão polêmica embutida. A questão era: "Você apoia nossa política?" Mas não se deseja que o povo reflita sobre essa questão. Esse é o objetivo principal de uma propaganda bem-feita: criar um *slogan* do qual ninguém vai discordar e todos vão apoiar. Ninguém sabe o que ele significa porque ele não significa nada. Sua importância decisiva é que ele desvia a atenção de uma questão que, *esta sim*, significa algo: "Você apoia nossa política?" Sobre ela ninguém quer saber sua opinião. Surge então uma

---

* O costume de amarrar fitas amarelas nas árvores diante das casas como sinal de solidariedade aos compatriotas em perigo teve início durante a crise entre Estados Unidos e Irã, em 1979, quando norte-americanos foram feitos reféns. Espalhou-se por todo o país quando eles foram libertados, em 1981. (N. do T.)

discussão sobre o apoio às tropas? "É claro que eu não *deixo* de apoiá-las." E com isso você venceu. É como o americanismo e a harmonia. Estamos todos no mesmo barco, com *slogans* vazios aos quais de alguma forma vamos nos unir e não vamos deixar que aquelas pessoas perigosas se aproximem e ameacem nossa harmonia com essa conversa de luta de classes, direitos e coisas do gênero.

Isso tudo é bastante eficaz. Funciona direitinho até hoje. E, é claro, tudo é muito bem pensado. As pessoas da área de relações públicas não brincam em serviço. São profissionais. Estão tentando incutir os valores corretos. Na verdade, elas têm uma concepção do que deve ser a democracia: um sistema em que a classe especializada é treinada para trabalhar a serviço dos senhores, os donos da sociedade. O resto da população deve ser privado de qualquer forma de organização, porque organização só causa transtorno. Devem ficar sentados sozinhos em frente à TV absorvendo a mensagem que diz que o único valor na vida é possuir mais bens de consumo ou viver como aquela família de classe média alta a que eles estão assistindo, e cultivar valores apropriados, como harmonia e americanismo. A vida se resume a isso. Você pode pensar, bem lá no fundo, que a vida não pode ser só isso, porém, já que está ali sozinho diante da telinha, você admite: "Devo estar ficando louco", porque é só aquilo que passam na TV. E como não é permitido nenhum tipo de organização – isso é absolutamente decisivo –, você nunca tem como descobrir se está louco ou não, e simplesmente aceita aquilo, porque parece natural aceitar.

Esse é o ideal, portanto. E um grande esforço é feito na tentativa de alcançá-lo. Obviamente, existe um conceito por trás dele. O conceito de democracia é aquele que mencionei. O rebanho desorientado representa um problema. Temos de impedir que saia por aí urrando e pisoteando tudo. Temos de distraí-lo. Ele deve assistir aos jogos de futebol americano, às séries cômicas ou aos filmes violentos. De vez em quando você o convoca a entoar *slogans* sem sentido como "Apoiem nossas tropas." Você tem de mantê-lo bem assustado, porque, a menos que esteja suficientemente assustado e amedrontado com todo tipo de demônio interno, externo ou sabe-se lá de onde que virá destruí-lo, ele pode começar a pensar, o que é muito perigoso, porque ele não é preparado para pensar. Portanto, é importante distraí-lo e marginalizá-lo.

Esse é um conceito de democracia. Na verdade, voltando ao universo empresarial, a última conquista legal que os trabalhadores obtiveram foi em 1935, com a Lei

Wagner. Com a guerra, os sindicatos se enfraqueceram, e, com eles, uma cultura operária extremamente rica que estava associada aos sindicatos. Tudo isso foi destruído. Tornamo-nos uma sociedade comandada pelo mundo dos negócios em uma escala impressionante. Esta é a única sociedade industrial de capitalismo de Estado que não tem nem mesmo o contrato social padrão que encontramos em sociedades similares. Acho que, tirando a África do Sul, somos a única sociedade industrial que não conta com um sistema nacional de saúde. Não existe nenhum compromisso geral nem mesmo com padrões mínimos de sobrevivência para as parcelas da população que não conseguem cumprir aquelas regras e obter as coisas por si próprias, individualmente. Os sindicatos praticamente inexistem. Outras formas de estrutura popular praticamente inexistem. Não existem partidos ou organizações políticas. É um longo caminho até a situação ideal, pelo menos em termos estruturais. A mídia é um monopólio coletivo. Todos têm o mesmo ponto de vista. Os dois partidos são duas facções do partido dos negócios. A maioria da população nem se dá ao trabalho de votar porque isso parece não fazer sentido. Ela encontra-se marginalizada e devidamente distraída. Pelo menos, o objetivo é esse. A figura de destaque no campo das relações públicas, Edward

Bernays, na verdade veio da Comissão Creel. Ele era um de seus membros, aprendeu ali suas lições e passou a desenvolver o que chamou de "engenharia do consenso", que ele definiu como "a essência da democracia". As pessoas que são capazes de construir o consenso são aquelas que dispõem dos recursos e do poder para fazê-lo – a comunidade dos negócios –, e é para elas que você trabalha.

A CONSTRUÇÃO DA OPINIÃO

É necessário, também, instigar a população para que apoie aventuras externas. Como aconteceu durante a Primeira Guerra Mundial, a população normalmente é pacifista. As pessoas não veem motivo para se envolver em aventuras externas, mortes e tortura. Portanto, você *tem* de instigá-las. E para instigá-las é preciso amedrontá-las. E, quanto a isso, o próprio Bernays tinha um belo exemplo em seu currículo. Foi ele que, em 1954, dirigiu a campanha de relações públicas em defesa da United Fruit Company, quando os Estados Unidos derrubaram o governo democrático capitalista da Guatemala e instalaram uma sociedade refém de esquadrões da morte assassinos. E assim permanece até hoje, com um fluxo constante de recursos americanos para evitar qualquer desvio que vá além de uma forma vazia de democracia. É preciso, constantemente, enfiar goela abaixo os programas domésticos com os quais a população não concorda, porque não há nenhuma razão para que ela seja favorável a programas domésticos que a prejudiquem. *Isto*, também, implica muita propaganda. Os últimos dez anos estão cheios de exemplos desse tipo. Os programas de Reagan tinham uma rejeição esmagadora. Dois de cada três eleitores que em 1984 deram a Reagan uma vitória "de lavada" esperavam que suas políticas não fossem postas em prática. Se considerarmos programas específicos como armamentos, cortes nos gastos sociais etc., veremos que a grande maioria da população se opunha a quase todos eles. Mas, uma vez que as pessoas se encontram marginalizadas e confusas e não conseguem organizar ou articular seus sentimentos – ou mesmo saber que outras pessoas partilham desses sentimentos –, aqueles que diziam preferir gasto social em lugar de gasto militar, que respondiam às pesquisas como a esmagadora maioria fez, supunham que elas eram as únicas que tinham aquela ideia maluca na cabeça. Elas nunca ouviram isso de nenhuma outra fonte. Ninguém deve pensar isso. Portanto, se é isso que você acha e dá essa resposta numa pesquisa, você simplesmente imagina que deve ser um tipo meio esquisito. Como não há uma maneira de se juntar a outras pessoas que partilham ou reforçam aquele ponto de vista e ajudam-no a articulá-lo, você se sente uma pessoa esquisita, uma excentricidade. Assim, você se retrai e não presta a menor atenção ao que está acontecendo. Olha para outra coisa, vai assistir ao futebol americano.

Até certo ponto, então, o ideal foi alcançado, mas nunca completamente. Existem instituições que, até o momento, tem sido impossível destruir. As igrejas, por exemplo, continuam existindo. Grande parte da dissidência nos Estados Unidos vem das igrejas, pelo simples fato de elas existirem. Assim, quando você vai participar de um debate político na Europa, é bem provável que ele aconteça no auditório de um sindicato. Isso não acontece aqui; primeiramente, porque os sindicatos praticamente inexistem, e quando existem não são organizações políticas. Mas as igrejas existem, e, portanto, é nelas que os debates geralmente acontecem. O movimento de solidariedade com a América Central originou-se sobretudo das igrejas, principalmente pelo fato de elas existirem.

Como a domesticação do rebanho desorientado nunca é perfeita, a batalha é permanente. Na década de 1930 ele se rebelou de novo e foi humilhado. Na década de 1960 houve uma nova onda de dissidência. Inventaram um nome para ela: a classe especializada chamou-a de "crise da democracia". Acreditava-se que a democracia estava entrando em crise na década de 1960. A crise se devia ao fato de que amplos setores da população estavam se organizando e se envolvendo, tentando participar politicamente. E aqui voltamos às duas concepções de democracia. Segundo o dicionário, trata-se de um *avanço* na democracia. De acordo com a concepção predominante, trata-se de um *problema*, uma crise que precisa ser superada. A população tem de ser devolvida à apatia, à obediência e à passividade, que é seu estado natural. Portanto, devemos fazemos algo para superar a crise. Muito se fez para conseguir isso. Não funcionou. Felizmente, a crise da democracia continua viva e saudável, mas não muito eficaz para transformar a política. Ao contrário do que muita gente acredita, porém, ela é eficaz na transformação da opinião pública. Após a década de 1960 foram feitas várias tentativas para reverter e superar essa doença. Na verdade, um aspecto da doença acabou recebendo uma classificação técnica. Foi a chamada "síndrome do Vietnã". A síndrome do Vietnã, termo que entrou em voga por volta de 1970, acabou sendo cunhado por acaso. O intelectual pró-Reagan Norman Podhoretz definiu-a como "as restrições doentias ao uso do poder militar". Grande parte da população partilhava dessas restrições doentias à violência. O que ela simplesmente não entendia é por que deveríamos sair por aí torturando e matando as pessoas e despejando um dilúvio de bombas em cima delas. Como Goebbels já constatara, é muito perigoso que a população seja tomada por essas restrições doentias, porque então passa a existir um limite para as aventuras externas. É necessário, como escreveu o *Washington Post* com certo orgulho durante a histeria da Guerra do Golfo, incutir nas pessoas o respeito pelo "valor marcial". Isso é importante. Se você quer ter uma sociedade violenta que utiliza a força mundo afora para alcançar os objetivos de sua elite doméstica, é necessário que as virtudes marciais sejam devidamente valorizadas e que se abandonem essas restrições doentias ao uso da violência. É essa, portanto, a síndrome do Vietnã. É preciso superá-la.

REPRESENTAÇÃO COMO REALIDADE

É necessário, também, falsificar completamente a história. Essa é outra maneira de superar as tais restrições doentias: passar a impressão de que quando atacamos e destruímos alguém, na verdade estamos nos protegendo e nos defendendo de agressores e monstros perigosos, e assim por diante. Desde o final da Guerra do Vietnã, houve um esforço *imenso* para reconstruir a história do conflito. Muita gente começou a entender o que de fato estava acontecendo. Incluindo, entre outros, uma grande quantidade de soldados e jovens que participaram do movimento pela paz. Isso era perigoso. Era necessário reajustar essas ideias nocivas e restaurar alguma forma de racionalidade, a saber, reconhecer que qualquer coisa que façamos é nobre e correta. Se bombardeamos o Vietnã do Sul é porque estamos defendendo o país contra alguém, isto é, os sul-vietnamitas, uma vez que não havia mais ninguém lá além deles. É o que os intelectuais que assessoravam Kennedy chamaram de defesa contra uma "agressão interna" ao Vietnã do Sul. Foi esse termo que Adlai Stevenson e outros utilizaram. Era preciso torná-la a versão oficial e fazer que ela fosse compreendida por todos. Funcionou muito bem. Quando se tem a mídia e o sistema educacional sob controle absoluto e a universidade assume uma postura conformista, é possível vender essa versão. Um sinal disso ficou evidente numa pesquisa feita na Universidade de Massachusetts a respeito das atitudes com relação à atual crise do Golfo – uma pesquisa sobre crenças e atitudes baseadas no que a televisão transmite. Uma das perguntas da pesquisa era: "Entre mortos e feridos, quantas vítimas você calcula que a Guerra do Vietnã causou?" A resposta média dada pelos americanos hoje é que foram cerca de 100 mil. Dados oficiais apontam que foram cerca de 2 milhões. O número real provavelmente está entre 3 e 4 milhões. As pessoas encarregadas da pesquisa levantaram uma questão relevante: O que pensaríamos da cultura política alemã se, quando perguntássemos às pessoas hoje quantos judeus morreram no Holocausto, eles calculassem o número em cerca de 300 mil? O que isso nos revelaria a respeito da cultura política alemã? Embora elas deixem a pergunta sem resposta, podemos nos estender sobre ela. O que ela nos revela sobre nossa cultura? Revela um bocado. É necessário superar as restrições doentias ao uso do poder militar e outros desvios democráticos. Neste caso específico, funcionou. Mas se aplica a qualquer outro assunto, basta escolher: Oriente Médio, terrorismo internacional, América Central, qualquer que seja a situação, a imagem do mundo que é apresentada à população tem apenas uma pálida relação com a realidade. A verdade dos fatos encontra-se enterrada debaixo de montanhas e montanhas de mentiras. Do ponto de vista de evitar a ameaça da democracia, tem se mostrado um sucesso formidável, alcançado num contexto de liberdade, o que é extremamente interessante. Não é como um Estado totalitário, em que é feito por meio da força. Esses feitos acontecem num contexto de liberdade. Se quisermos compreender nossa própria sociedade, precisaremos refletir sobre esses fatos. São fatos importantes, importantes para aqueles que se preocupam com o tipo de sociedade em que vivem.

A CULTURA DA DISSIDÊNCIA

Apesar de tudo isso, a cultura da dissidência sobreviveu, tendo crescido um bocado desde a década de 1960. Seu desenvolvimento nessa década foi, antes de mais nada, extremamente lento. Os protestos contra a Guerra da Indochina só aconteceram anos depois de os Estados Unidos terem começado a bombardear o Vietnã do Sul. Quando ela de fato cresceu, era um movimento dissidente bastante restrito, integrado em sua maioria por estudantes e jovens. Na década de 1970 a mudança foi considerável. Movimentos populares importantes haviam surgido: o movimento ambientalista, o movimento feminista, o movimento antinuclear, entre outros. Na década de 1980 houve uma expansão ainda maior, voltada agora para os movimentos de solidariedade, o que representa algo muito novo e importante na história dos movimentos dissidentes, pelo menos no que diz respeito aos Estados Unidos e, quem sabe, até mesmo em nível mundial. Esses movimentos não se limitavam a protestar, eles se envolviam de verdade, muitas vezes intimamente, com a vida das pessoas que sofriam em diversas partes do globo. Eles aprenderam um bocado com essa experiência e tiveram um efeito bastante civilizador sobre os valores então predominantes na sociedade americana. Isso tudo fez uma diferença muito grande. Quem quer que tenha se envolvido com esse tipo de atividade durante muitos anos tem consciência disso. Eu falo por mim: sei que o tipo de conferência que eu faço hoje nas regiões mais reacionárias do país – o interior da Geórgia, a zona rural de Kentucky etc. – são do tipo que eu não poderia ter feito no auge do movimento pacifista para o mais engajado público desse movimento. Hoje eu posso apresentá-las em qualquer lugar. As pessoas podem concordar ou discordar, mas pelo menos elas entendem do que você está falando, e existe uma espécie de terreno comum que se pode compartilhar.

Todos esses são sinais do efeito civilizador, apesar de toda a propaganda, apesar de todos os esforços para controlar o pensamento e construir o consenso. Não obstante, as pessoas estão adquirindo a capacidade e a disposição de refletir profundamente sobre as coisas. O ceticismo com relação ao poder tem crescido, e as atitudes têm mudado com relação a uma série de temas. O processo é meio lento, talvez avance a passos de tartaruga, mas é perceptível e importante. Se vai ser suficientemente rápido para representar uma diferença significativa no que acontece no mundo, é outra questão. Só para citar um exemplo conhecido desse fenômeno: a célebre diferença de comportamento entre os gêneros. Na década de 1960, homens e mulheres tinham aproximadamente as mesmas atitudes a respeito de temas como "virtudes marciais" e restrições doentias ao uso do poder militar. Ninguém, nem homens nem mulheres, sofria com dessas restrições doentias no início da década de 1960. As respostas eram as mesmas. Todo o mundo achava perfeitamente legítimo usar de violência para reprimir as pessoas lá fora. Com o passar dos anos isso mudou. As restrições doentias cresceram de forma generalizada. Nesse meio-tempo, porém, essa diferença vem aumentando, alcançando agora uma amplitude significativa. Segundo as pesquisas, é algo em torno de 25 por cento. O que aconteceu? O que aconteceu é que existe uma espécie de movimento popular minimamente organizado no qual as mulheres estão envolvidas – o movimento feminista. E a organização tem suas consequências: você descobre que não está sozinho, que outras pessoas pensam as mesmas coisas que você. Você pode embasar melhor suas opiniões e aprender mais sobre aquilo que pensa e em que acredita. Esses movimentos são bastante informais, não são como as organizações a que a gente se filia, apenas uma disposição de interagir com as pessoas. Isso tem um resultado bastante perceptível. Esse é o perigo da democracia: se as organizações conseguirem se fortalecer, se as pessoas saírem da frente da televisão, elas poderão começar a ter uma série de ideias estranhas, como restrições doentias ao uso do poder militar. Isso tinha de ser derrotado, mas não foi.

CORTEJO DE INIMIGOS

Em vez de falar sobre a última guerra, permitam-me que fale sobre a próxima, porque mais vale às vezes estar preparado do que simplesmente reagir. Os Estados Unidos estão atravessando uma conjuntura bem típica. Não é o primeiro país a passar por isso. Os problemas sociais e econômicos que o país enfrenta não param de crescer, gerando um cenário que, na verdade, pode ser definido como catastrófico. Os ocupantes do poder não têm a menor intenção de fazer nada para resolvê-los. Se examinarmos os programas domésticos dos governos dos últimos dez anos – e incluo aqui a oposição democrata –, não encontraremos, de fato, nenhuma proposta séria sobre o que fazer a respeito dos graves problemas de saúde, educação, falta de moradia, desemprego, criminalidade, explosão da população carcerária, prisões, deterioração das regiões centrais das cidades – um monte de problemas. Todo o mundo está ciente disso, e a situação só tem piorado. Só nos dois primeiros anos do governo George Bush mais 3 milhões de crianças ficaram abaixo da linha de pobreza, a dívida disparou, o salário real de grande parte da população voltou aos níveis do final da década de 1950, e ninguém está dando a mínima para tudo isso. Em tais circunstâncias, é preciso desviar a atenção do rebanho desorientado, porque se ele começar a perceber o que está acontecendo pode não gostar, já que é ele que sofre com a situação. Assistir ao futebol americano e às séries de TV pode não ser suficiente. É preciso incutir nele o medo dos inimigos. Na década de 1930, Hitler incutiu na população o medo dos judeus e dos ciganos. Era preciso aniquilá-los para se defender. Nós também temos os nossos métodos. Ao longo da última década, a cada um ou dois anos criou-se um monstro ameaçador do qual temos de nos defender. Houve um tempo em que a opção preferencial à mão eram os russos. Quem não ia querer se defender deles? Mas como eles já não se adaptam tão bem ao papel de inimigos, e está ficando cada vez mais difícil recorrer a eles, é preciso inventar outros. A bem da verdade, as pessoas criticaram injustamente George Bush por não conseguir expressar ou articular o que de fato está nos coagindo agora. Isso é um golpe baixo. Antes de meados da década de 1980, quando a pessoa estava apática, bastava tocar o refrão: "Os russos estão chegando." Mas como ele não dispõe mais desse recurso, tem de inventar outros, exatamente como a máquina de relações públicas de Reagan fez na década de 1980. Então foi a vez dos terroristas internacionais, dos narcotraficantes e dos árabes enlouquecidos, e ainda de Saddam Hussein, o novo Hitler que ia dominar o mundo. É preciso que eles surjam um em seguida ao outro. Você assusta e aterroriza a população, intimidando-a a tal ponto que ela fica com medo de viajar e se encolhe apavorada. Em seguida você conquista uma magnífica vitória sobre Granada, Panamá ou algum outro exército indefeso do Terceiro Mundo que se pode triturar num piscar de olhos – que foi exatamente o que aconteceu. Isso dá uma sensação de alívio. Fomos salvos no último minuto. Esta é uma das maneiras de evitar que o rebanho desorientado preste atenção no que realmente está acontecendo ao seu redor, uma maneira de mantê-lo distraído e sob controle. A próxima da fila, muito provavelmente, vai ser Cuba. Para isso, será necessário dar prosseguimento à guerra econômica ilegal, possivelmente com o ressurgimento do admirável terrorismo internacional. O principal ato terrorista internacional organizado até o momento foi a Operação Mangusto – e tudo o que estava relacionado a ela – contra Cuba, patrocinada pelo governo Kennedy. Não existe nada remotamente comparável a isso, com exceção talvez da guerra contra a Nicarágua, se quisermos chamá-la de terrorismo. O Tribunal Internacional classificou-a mais como uma agressão. Tudo começa sempre com uma ofensiva ideológica que cria um monstro imaginário, seguida pelas campanhas para destruí-lo. Se eles tiverem capacidade de reagir, não invadiremos: será arriscado demais. Mas, se tivermos certeza de que serão esmagados, talvez possamos liquidar a fatura rapidamente e respirar aliviados uma vez mais.

PERCEPÇÃO SELETIVA

Isso tem sido assim já faz certo tempo. Em maio de 1986, as memórias de Armando Valladares – prisioneiro cubano que havia sido libertado – foram publicadas, tornando-se imediatamente a sensação da mídia. Vou reproduzir alguns trechos. A mídia descreveu suas revelações como "o relato definitivo acerca do vasto sistema de tortura e prisão por meio do qual Castro pune e elimina a oposição política". Era "um relato inspirador e inesquecível" das "prisões degradantes", da tortura desumana, [e] o registro da violência do Estado [sob as ordens de] mais um dos genocidas deste século, o qual – graças ao livro finalmente somos informados – "criou um novo despotismo que institucionalizou a tortura como mecanismo de controle social" no "inferno que era a Cuba em que [Valladares] vivia". Estes são trechos de diversas resenhas que saíram no *Washington Post* e no *New York Times*. Castro era descrito como um "arruaceiro despótico". Suas atrocidades foram reveladas de maneira tão convincente que "somente o mais frívolo e insensível intelectual do Ocidente virá em defesa do tirano", escreveu o *Washington Post*. Lembrem-se: este é o relato do que aconteceu a um único homem. Digamos que seja tudo verdade. Não vamos levantar dúvidas a respeito do que aconteceu a esse homem que diz ter sido torturado. Numa cerimônia na Casa Branca em comemoração ao Dia dos Direitos Humanos, ele foi homenageado por Ronald Reagan pela coragem de suportar os horrores e o sadismo do sanguinário tirano cubano. Em seguida, foi indicado como representante dos Estados Unidos na Comissão de Direitos Humanos das Nações Unidas, onde tem prestado relevantes serviços defendendo os governos salvadorenho e guatemalteco contra acusações de que eles cometem atrocidades em tal escala que fazem com que o que ele sofreu pareça quase nada. Esta é a situação em que nos encontramos.

Isso foi em maio de 1986. Foi interessante, e revela algo a respeito da construção do consenso. No mesmo mês, os membros sobreviventes do Grupo de Direitos

Humanos de El Salvador – os líderes tinham sido mortos – foram presos e torturados, entre eles, Herbert Anaya, seu diretor. Foram mandados para a prisão – Prisão La Esperanza (A Esperança). Enquanto estavam presos, eles continuaram seu trabalho em defesa dos direitos humanos. Como eram advogados, continuaram tomando depoimentos. Havia 432 pessoas presas ali. Eles tomaram depoimentos assinados de 430 delas, nos quais as pessoas descreviam, sob juramento, a tortura que haviam sofrido: choques elétricos e outras crueldades, incluindo, em um caso, tortura feita por um major americano de uniforme, a qual é descrita mais detalhadamente. Trata-se de um testemunho raro por sua clareza e abrangência, provavelmente único quanto aos detalhes do que se passa numa câmara de tortura. Conseguiram retirar às escondidas da prisão esse relatório de 160 páginas com o testemunho dos presos feito sob juramento, juntamente com um videoteipe que mostrava as pessoas testemunhando na prisão sobre sua tortura. Ele foi distribuído pela Marin County Interfaith Task Force on the Americas [Força-Tarefa Interconfessional para as Américas da Comarca de Marin]*. *A imprensa nacional re-*

---

* Organização de raízes populares que conquistou reconhecimento local, nacional e internacional por sua contribuição para pôr fim às violações dos direitos humanos na América Central. Fundada em 1985, sua sede fica na cidade de Larkspur, comarca de Marin, Califórnia. (N. do T.)

cusou-se a cobrir a matéria. As emissoras de televisão recusaram-se a reproduzir o teipe. Saiu um artigo no *San Francisco Examiner*, jornal da comarca de Marin, e acho que isso foi tudo. Ninguém mais quis tocar no assunto. Nessa época, não eram poucos os "frívolos e insensíveis intelectuais do Ocidente" que se derramavam em elogios a José Napoleón Duarte e Ronald Reagan. Anaya não foi objeto de nenhuma homenagem. Nunca participou do Dia dos Direitos Humanos, nem foi indicado para nada. Libertado numa operação de troca de prisioneiros, foi em seguida assassinado, aparentemente pelas forças de segurança apoiadas pelos Estados Unidos. Muito pouco se soube a respeito do caso. A mídia nunca perguntou se a vida de Anaya poderia ter sido poupada se, em vez de silenciar sobre as atrocidades, ela as tivesse revelado.

Este é um bom exemplo de como funciona um sistema bem azeitado de construção do consenso. Comparadas às revelações de Herbert Anaya em El Salvador, as memórias de Valladares são como uma gota no oceano. Mas vocês têm um trabalho a fazer. O que nos leva à próxima guerra. Penso que ainda vamos ouvir muito esse tipo de discurso até que a próxima operação militar aconteça.

Para concluir, só mais algumas observações sobre este último caso. Vamos começar com a pesquisa feita pela Universidade de Massachusetts que mencionei anteriormente, pois ela apresenta algumas conclusões interessantes. A pergunta era se as pessoas achavam que os Estados Unidos deveriam intervir militarmente para reverter uma ocupação ilegal ou para impedir violações graves dos direitos humanos. Numa proporção de dois para um, os americanos responderam afirmativamente. Deveríamos empregar a força no caso de ocupação ilegal de território e violações *graves* dos direitos humanos. Se os Estados fossem seguir essa recomendação, deveríamos bombardear El Salvador, Guatemala, Indonésia, Damasco, Tel Aviv, Cidade do Cabo, Turquia, Washington e uma lista enorme de outros países. Todos esses são casos de ocupação ilegal, agressão e violações graves dos direitos humanos. Se vocês conhecerem a realidade a respeito desta série de exemplos, saberão muito bem que a agressão e as atrocidades cometidas por Saddam Hussein se encaixam muito bem nela. Elas não são as mais violentas. Por que ninguém chega a essa conclusão? A resposta é que ninguém sabe. Num sistema de propaganda bem azeitado, ninguém saberia do que eu estou falando quando mencionei aquela série de exemplos. Se vocês se derem ao trabalho de verificar, perceberão que esses exemplos são bem apropriados.

Tomemos um que esteve perigosamente perto de ser percebido, durante a Guerra do Golfo. Em fevereiro, bem no meio dos bombardeios, o governo do Líbano pediu que Israel cumprisse a Resolução 425 do Conselho de Segurança da ONU, que determinava que este se retirasse imediata e incondicionalmente do Líbano. Essa resolução é de março de 1978. Desde então, houve mais duas resoluções com o mesmo teor. É claro que Israel não as cumpre, porque os Estados Unidos apoiam a ocupação. Enquanto isso, o sul do Líbano vive aterrorizado, com enormes câmaras de tortura onde acontecem coisas horripilantes. Ele é usado como base para atacar outras partes do Líbano. Desde 1978, o Líbano foi invadido, a cidade de Beirute foi bombardeada, cerca de 20 mil pessoas foram mortas, aproximadamente 80 por cento delas civis, hospitais foram destruídos e, além disso, foi imposto um regime de terror, pilhagem e extorsão. Tudo bem, Israel tinha o apoio dos Estados Unidos. Este é apenas um caso. Vocês não viram nada na mídia sobre o assunto nem qualquer discussão sobre se Israel e os Estados Unidos deveriam cumprir a Resolução 425 do Conselho de Segurança da ONU ou qualquer outra resolução; nem ninguém pediu que se bombardeasse Tel Aviv, embora, de acordo com os princípios defendidos por dois terços da população, é o que deveríamos ter feito. Afinal de contas, estamos falando de uma ocupação ilegal e de graves violações dos direitos humanos.

Este é apenas um caso. Existem outros muito piores. A invasão do Timor Leste pela Indonésia provocou o extermínio de cerca de 200 mil pessoas. Comparado com este, todos os outros casos parecem perder importância. A agressão perpetrada pela Indonésia contou com o apoio decidido dos Estados Unidos e *ainda* prossegue, com o decisivo apoio diplomático e militar americano. A lista não tem fim.

A GUERRA DO GOLFO

Ela revela como um sistema de propaganda bem azeitado funciona. As pessoas podem acreditar que quando usamos a força contra o Iraque e o Kuwait é porque realmente observamos os princípios de que a ocupação ilegal e a violação dos direitos humanos têm de ser enfrentadas por meio da força. Elas não percebem o que isso significaria se esses princípios fossem aplicados ao comportamento dos Estados Unidos. Trata-se de um dos mais espetaculares casos de propaganda bem-sucedida.

Vamos dar uma olhada em outro caso. Se observarmos de perto a cobertura da guerra desde agosto (1990), perceberemos a ausência impressionante de alguns atores. Por exemplo, existe uma oposição democrática no

Iraque; na verdade, uma oposição democrática muito corajosa e representativa. Naturalmente, eles atuam no exílio – principalmente na Europa –, porque não conseguiriam sobreviver no Iraque. São banqueiros, engenheiros, arquitetos – esse tipo de gente. São articulados, têm opinião e se fazem ouvir. No mês de fevereiro, quando Saddam Hussein ainda era o amigo e parceiro comercial favorito de George Bush, eles chegaram a ir a Washington – segundo fontes da oposição democrática iraquiana – fazer um apelo em favor de algum tipo de apoio a sua reivindicação de instalação de uma democracia parlamentar no Iraque. Seu pedido foi totalmente recusado, porque os Estados Unidos não tinham nenhum interesse nele. Não se tem notícia de nenhuma reação a isso nos registros públicos.

Desde agosto, ficou um pouco mais difícil ignorar sua existência. Nesse mês, de uma hora para outra, nos voltamos contra Saddam Hussein, após tê-lo favorecido durante muitos anos. E ali estava uma oposição democrática iraquiana que deveria ter algumas ideias sobre a questão. Eles adorariam ver Saddam Hussein arrastado e esquartejado. Ele assassinara seus irmãos, torturara suas irmãs e os expulsara do país. Eles combateram essa tirania durante todo o período em que Ronald Reagan e George Bush davam a ele um tratamento especial. E quanto a suas opiniões? Deem uma olhada na mídia nacional e vejam se conseguem encontrar alguma notícia sobre a oposição democrática iraquiana de agosto a março (1991). Não vão encontrar uma palavra. Não é que eles não sejam articulados: eles têm manifestos, propostas, apelos e reivindicações. Olhando para eles, você percebe que é impossível distingui-los dos militantes do movimento pacifista americano. Eles são contra Saddam Hussein e contra a guerra do Iraque. Eles não querem que seu país seja destruído. O que eles querem é uma solução pacífica, e eles sabem perfeitamente bem que ela poderia ter sido possível. Como esse ponto de vista está errado, eles estão fora. Não ouvimos uma palavra a respeito da oposição democrática iraquiana. Se quiser descobrir algo sobre eles, é melhor consultar a imprensa alemã ou a britânica. Apesar de não darem muito espaço a eles, são menos controladas do que nós, e alguma coisa acaba saindo.

Essa é uma façanha espetacular da propaganda política. Em primeiro lugar, que as vozes dos democratas iraquianos sejam totalmente excluídas; e, em segundo lugar, que ninguém perceba. Isso também é algo interessante. É preciso, na verdade, uma população profundamente doutrinada para não perceber que não estamos ouvindo as vozes da oposição democrática iraquiana e não estamos nos perguntando "por quê?" e descobrindo a resposta óbvia: porque os democratas iraquianos têm suas próprias opiniões; eles concordam com o movimento pacifista internacional e, portanto, estão fora.

Analisemos a questão das razões que justificam a guerra. Foram apresentadas algumas. São elas: os agressores não podem ser recompensados e a agressão tem de ser revertida pelo recurso rápido à violência; essa foi a razão para a guerra. Não foi apresentada, basicamente, nenhuma outra razão. Será que essa pode ser a razão para a guerra? Os Estados Unidos defendem esses princípios, que os agressores não podem ser recompensados e que a agressão tem de ser revertida por um recurso rápido à violência? Não vou insultar a inteligência de vocês discorrendo sobre os fatos, mas a verdade é que um adolescente alfabetizado refutaria esses argumentos em dois minutos. No entanto, eles nunca foram refutados. Deem uma olhada na mídia, nos comentaristas e críticos liberais, nas pessoas que testemunharam no Congresso e vejam se alguém questionou o pressuposto de que os Estados Unidos acatam esses princípios. Os Estados Unidos se opuseram a sua própria agressão no Panamá e insistiram em bombardear Washington para revertê-la? Quando a ocupação da Namíbia pela África do Sul em 1969 foi declarada ilegal, os Estados Unidos impuseram um embargo de alimentos e remédios? Declararam guerra à África do Sul? Bombardearam a Cidade do Cabo? Não, adotaram durante vinte anos uma "diplomacia discreta". E foram vinte anos lastimáveis. Somente durante os anos dos governos Reagan-Bush, cerca de 1,5 milhão de pessoas foram mortas pela África do Sul apenas nos países vizinhos. Esqueçam o que estava acontecendo na África do Sul e na Namíbia. Por algum motivo, aquilo não feria nossa alma sensível. Prosseguimos com a "diplomacia discreta" e acabamos recompensando regiamente os agressores. Eles ficaram com o principal porto da Namíbia, além de uma série de vantagens que levavam em conta suas preocupações com a segurança. Onde está esse princípio que defendemos? De novo, é fácil demonstrar que não havia a menor hipótese de esses fatos terem representado o motivo para entrarmos em guerra, porque nós não defendemos esses princípios. Mas ninguém tomou essa iniciativa – e isso é que é importante. E ninguém se deu ao trabalho de chamar a atenção para a seguinte conclusão: não foi apresentada nenhuma razão para entramos em guerra. Nenhuma. Não foi apresentada nenhuma razão para entrarmos em guerra que um adolescente alfabetizado não conseguisse refutar em cerca de dois minutos. Ademais, essa é a característica marcante de uma cultura totalitária. O fato de sermos tão profundamente totalitários que podemos ser levados à guerra sem que nos apresentem nenhum motivo para isso e, além disso, que ninguém mencione o apelo do Líbano – nem se importe com ele – é algo que deveria nos assustar.

Em meados de janeiro, pouco antes do início dos bombardeios, uma importante pesquisa realizada pelo *Washington Post* e pela emissora de TV ABC revelou algo interessante. A pergunta era: "Se o Iraque concordasse em se retirar do Kuwait em troca do compromisso por parte do Conselho de Segurança de examinar a questão do conflito árabe-israelense, você seria favorável a essa solução?" Numa proporção de dois para um, a população respondeu que sim. O mundo inteiro era favorável a essa solução, inclusive a oposição democrática iraquiana. Assim, foi divulgado que dois terços da população americana eram favoráveis a essa solução. É razoável supor que as pessoas favoráveis a essa solução achassem que eram as únicas no mundo que pensavam assim. Certamente, ninguém na imprensa havia dito que se tratava de uma boa ideia. As ordens de Washington têm sido: devemos ser contra "negociações que vinculem um assunto a outro", ou seja, a diplomacia; logo, todo o mundo obedeceu à voz de comando e passou a ser contra a diplomacia. Tentem encontrar algum comentário na imprensa – vão encontrar um artigo de Alex Cockburn no *Los Angeles Times* dizendo que seria uma boa ideia. As pessoas que responderam à pesquisa pensavam: "Devo ser o único a pensar assim, mas é isso que eu acho." Vamos supor que elas soubessem que não eram as únicas, que outras pessoas – como a oposição democrática iraquiana – pensavam da mesma forma que elas. Imaginemos que elas soubessem que não se tratava apenas de uma hipótese, que na verdade o Iraque tinha feito justamente aquela proposta. Ela havia sido divulgada apenas oito dias antes, por altos funcionários americanos. No dia 2 de janeiro, esses funcionários haviam tornado pública uma proposta do Iraque de retirar todas as tropas do Kuwait se o Conselho de Segurança se comprometesse a examinar o conflito árabe-israelense e o problema das armas de destruição em massa. Os Estados Unidos têm se recusado a negociar essa questão desde muito antes da invasão do Kuwait. Suponhamos que as pessoas tivessem tomado conhecimento de que a proposta estava realmente em discussão, e que ela contava com um enorme apoio; e que, na verdade, isso é exatamente o tipo de coisa que qualquer pessoa racional faria se estivesse interessada na paz, como nós fazemos em outras situações, nos raros casos em que desejamos reverter a agressão. Imaginemos que isso tivesse se tornado conhecido. Todo o mundo pode dar os seus palpites, mas eu diria que os dois terços provavelmente passariam a 98 por cento da população. E aqui temos os formidáveis êxitos da propaganda política. Provavelmente nenhuma das pessoas que respondeu à pesquisa tinha conhecimento das coisas que eu acabei de mencionar. Elas pensavam que estavam sozinhas. Por essa razão, foi possível prosseguir com a política de guerra sem oposição.

Houve um bocado de discussão sobre se as sanções funcionariam ou não. Vimos o diretor da CIA vir a público discutir se as sanções funcionariam ou não. No entanto, não se discutiu uma questão muito mais óbvia: as sanções já tinham funcionado? A resposta é sim, aparentemente tinham – provavelmente por volta do final de agosto, muito provavelmente por volta do final de dezembro. Era muito difícil imaginar algum outro motivo que justificasse as propostas de retirada feitas pelo Iraque, as quais eram validadas ou, em alguns casos, divulgadas por altos funcionários americanos, que as descreviam como "sérias" e "negociáveis". Assim, as verdadeiras questões eram: As sanções já tinham funcionado? Havia uma saída? Uma saída em termos razoavelmente aceitáveis pela população em geral, pelo mundo como um todo e pela oposição democrática iraquiana? Essas questões não foram discutidas, e é crucial para um sistema de propaganda bem azeitado que elas *não* sejam discutidas. Isso permite que o presidente do Conselho Nacional Republicano diga que, se fosse um democrata que estivesse à frente do governo, hoje o Kuwait não estaria livre. Ele pode dizer isso sem que nenhum democrata possa contestá-lo dizendo "se eu fosse presidente o Kuwait não teria sido libertado hoje, mas há seis meses, porque havia na ocasião circunstâncias favoráveis que eu teria explorado, e o Kuwait teria sido libertado sem a morte de dezenas de milhares de pessoas e sem causar um desastre ambiental". Nenhum democrata poderia dizer isso porque nenhum deles assumiu essa posição, com exceção de Henry Gonzalez e Barbara Boxer. Mas o número de pessoas que o fez é tão ínfimo que é praticamente inexistente. Considerando que quase nenhum político democrata diria isso, Clayton Yeutter* sente-se à vontade para fazer suas declarações.

Quando mísseis Scud atingiram Israel, ninguém da imprensa aplaudiu. Mais uma vez, trata-se de um fato interessante a respeito de um sistema de propaganda bem azeitado. Poderíamos perguntar: por que não? Afinal, os argumentos de Saddam Hussein eram tão bons quanto

---

* Presidente do Conselho Nacional Republicano. (N. do T.)

os de George Bush. Que argumentos eram esses, afinal? Vamos ficar apenas no exemplo do Líbano. Saddam Hussein diz que não pode tolerar anexação de território, que não pode permitir que Israel anexe as Colinas de Golã sírias e Jerusalém Oriental, contrariando a decisão unânime do Conselho de Segurança. Ele não pode tolerar anexação de território. Ele não pode tolerar agressão. Israel ocupa o sul do Líbano desde 1978, em violação às resoluções do Conselho de Segurança, as quais se recusa a acatar. Ao longo desse período, os israelenses atacaram praticamente todo o país, e continuam bombardeando à vontade a maior parte do território libanês. Ele não pode tolerar isso. Ele deve ter lido o relatório da Anistia Internacional sobre as atrocidades israelenses na Cisjordânia. Seu coração está sangrando. Ele não pode tolerar isso. As sanções não funcionam porque os Estados Unidos as vetam. As negociações não funcionam porque os Estados Unidos as bloqueiam. O que resta, senão o uso da força? Faz anos que ele espera. Treze anos no caso do Líbano, vinte anos no caso da Cisjordânia. Vocês já ouviram esse argumento antes. A única diferença entre esse argumento e o que vocês ouviram é que Saddam Hussein pode, de fato, dizer que as sanções e negociações não funcionam porque os Estados Unidos as bloqueiam. Mas George Bush não pode dizer o mesmo, porque aparentemente as sanções funcionaram, e tudo levava a crer que as negociações também funcionariam – porém ele foi inflexível, recusando-se a prosseguir com elas, dizendo explicitamente que não haveria negociação e ponto final. Vocês ouviram falar de alguém da imprensa que tenha chamado a atenção para isso? Não. É assim mesmo. De novo, é algo que um adolescente alfabetizado conseguiria perceber em um minuto. Mas ninguém, nenhum comentarista ou editor deu destaque à declaração. Temos aqui, uma vez mais, a marca de uma cultura totalitária bem azeitada. Ela mostra que a construção do consenso está funcionando.

Um último comentário a respeito deste assunto. Poderíamos dar vários exemplos, e vocês podem reuni-los com o passar do tempo. Peguem a afirmação de que Saddam Hussein é um monstro prestes a conquistar o mundo – algo amplamente aceito nos Estados Unidos, o que não deixa de fazer sentido: essa ideia foi martelada na cabeça das pessoas uma infinidade de vezes – ele está prestes a tomar conta de tudo. Temos de impedi-lo agora. Como ele se tornou assim tão poderoso? Trata-se de um pequeno país do Terceiro Mundo sem infraestrutura industrial. Durante oito anos, o Iraque esteve em guerra contra o Irã. Estamos falando do Irã pós-revolucionário, que havia eliminado seu corpo de oficiais e a maioria das forças armadas. O Iraque contou com uma ajudazinha nessa guerra. Ele recebeu o apoio da União Soviética, dos Estados Unidos, da Europa, dos principais países árabes e dos produtores de petróleo árabes. Mesmo assim, não foi capaz de derrotar o Irã. Mas eis que, de repente, o país encontra-se preparado para conquistar o mundo. Vocês conhecem alguém que tenha chamado a atenção para esse fato? A verdade é que estamos falando de um país do Terceiro Mundo com um exército formado por camponeses. Agora se começa a reconhecer que houve um bocado de desinformação sobre as fortificações, as armas químicas etc. Mas vocês conhecem alguém que chamou a atenção para isso? Não, praticamente ninguém levantou a questão. Nada mais previsível. Observem que isso foi feito exatamente um ano depois de terem feito o mesmo com Manuel Noriega. Comparado ao amigo de George Bush, Saddam Hussein, ou a seus outros amigos de Pequim – ou, por falar nisso, ao próprio George Bush –, Noriega é um criminoso violento de segunda. Bem mequetrefe mesmo. Uma pessoa má, mas não um tirano de primeira classe, do tipo de que a gente gosta. Foi atribuída a Noriega uma dimensão exagerada: ele iria nos destruir, à frente dos narcotraficantes. Tínhamos de invadir o país rapidamente e liquidá-lo, matando algumas centenas ou, quem sabe, umas mil pessoas, devolvendo o poder à minúscula elite branca – que representava no máximo oito por cento do país – e pondo oficiais americanos no comando de todos os níveis do sistema político. Tínhamos de fazer todas essas coisas porque, afinal, ou nos protegíamos ou seríamos destruídos por esse monstro. Passado um ano, a mesma coisa foi feita com Saddam Hussein. Alguém chamou a atenção para isso? Alguém chamou a atenção para o que tinha acontecido ou por que tinha acontecido? Vocês vão ter de procurar bastante para encontrar alguém.

Observem que isso não é assim tão diferente daquilo que a Comissão Creel fez quando transformou uma população pacifista num bando de histéricos alucinados que queriam destruir tudo o que fosse alemão para nos proteger dos hunos que estavam arrancando os braços dos bebês belgas. Os métodos podem ser mais sofisticados, com o uso da televisão e o enorme volume de recursos utilizados, mas na essência é a mesma coisa.

Retomando meu comentário original, penso que não se trata simplesmente de desinformação e da crise do Golfo. A questão é muito mais ampla. Trata-se de saber se queremos viver numa sociedade livre ou sujeitos àquilo que corresponde a uma forma de totalitarismo autoimposto, com o rebanho desorientado marginalizado, distraído com outros assuntos, aterrorizado, berrando *slogans* patrióticos, temendo por sua vida e reverenciando o líder que o salvou da destruição, enquanto as massas instruídas são enquadradas e repetem os *slogans* que se espera que repitam, e a sociedade entra em decadência. Nós acabamos fazendo o papel de um Estado mercenário disciplinador, esperando que os outros nos paguem para destruir o mundo. Essas são as escolhas. Essa é a escolha que vocês têm de enfrentar. A resposta a essas perguntas está, em grande medida, nas mãos de pessoas como *vocês* e como *eu*.

O JORNALISTA MARCIANO
Como a "Guerra ao Terror" deveria ser noticiada

O texto que se segue é uma transcrição editada de uma palestra proferida por ocasião das comemorações do décimo quinto aniversário da Fairness and Accuracy in Reporting [Imparcialidade e Precisão ao Noticiar] – FAIR –, no Town Hall da cidade de Nova York, em 22 de janeiro de 2002.

SUPONHO QUE O TEMA apropriado para uma ocasião como esta seja bastante óbvio: o tratamento que a mídia tem dado à principal história dos últimos meses – a chamada "guerra contra o terrorismo", especificamente no mundo islâmico. A propósito, neste caso pretendo que o termo mídia seja entendido em sentido bem amplo, incluindo os periódicos de ensaios, de análises e de opinião; na verdade, a cultura acadêmica de maneira geral.

O tema é muito importante, e, entre outros, tem sido examinado regularmente pela FAIR. Contudo, não é um tema realmente apropriado para uma palestra, e a razão é que ele exige uma análise extremamente detalhada. Assim, gostaria de propor que ele fosse abordado de maneira um pouco diferente, perguntando como a história deveria ser tratada de acordo com princípios gerais aceitos como parâmetros: imparcialidade, precisão, relevância, e assim por diante.

Vamos abordá-lo por meio de uma espécie de exercício teórico. Imaginem um marciano inteligente – como me disseram que se convencionou que os marcianos são do sexo masculino, vou chamar este ser de "ele". Suponhamos que esse marciano tenha estudado em Harvard e na Faculdade de Jornalismo da Universidade de Columbia e tenha aprendido todos aqueles princípios morais nobres e elevados, e que, na verdade, acredite neles. De que maneira ele trataria uma história como essa?

Penso que ele começaria examinando alguns fatos, que transmitiria ao jornal em Marte. Um deles é que a guerra contra o terrorismo não foi declarada em 11 de setembro; mais precisamente, ela foi redeclarada nessa data, utilizando a mesma retórica da primeira declaração vinte anos antes. Como vocês bem sabem, o governo Reagan anunciou que a guerra contra o terrorismo seria o núcleo da política externa americana, condenando o que o presidente chamou de "o flagelo maligno do terrorismo"[1]. O foco principal era o terrorismo internacional apoiado pelo Estado no mundo islâmico e, naquela época, também na América Central. O terrorismo internacional era descrito como uma epidemia propagada por "inimigos perversos da própria civilização", num "retorno à barbárie na era moderna"[2]. Na verdade, estou reproduzindo as palavras do secretário de Estado George Shultz, um elemento moderado do governo Reagan.

A frase de Reagan que eu reproduzi se referia ao terrorismo no Oriente Médio, e foi dita em 1985. Foi nesse ano que o terrorismo internacional naquela região foi escolhido pelos editores de jornal, numa pesquisa anual da Associated Press, como o principal tema jornalístico do ano. Logo, o primeiro fato que o nosso repórter marciano relataria é que em 2001 foi a segunda vez que esse assunto foi o mais noticiado, e que a guerra contra o terrorismo foi redeclarada mais ou menos como antes.

Além disso, existe uma continuidade surpreendente: as posições de comando são ocupadas pelas mesmas pessoas. Assim, Donald Rumsfeld é o responsável pelo componente militar da segunda fase da guerra contra o

---

1. *New York Times*, 18 out. 1985.
2. *Washington Post*, 26 out. 1984.

terrorismo e foi o enviado especial de Reagan ao Oriente Médio durante a primeira fase, inclusive em 1985, ano em que ela chegou ao auge. A pessoa que acabou de ser indicada há alguns meses como responsável pelo componente diplomático da guerra nas Nações Unidas é John Negroponte, que, durante a primeira fase, supervisionava as operações americanas em Honduras, a principal base americana da guerra contra o terror durante essa fase.

O elemento do exercício do poder

Em 1985, embora o terrorismo no Oriente Médio tenha sido o assunto mais noticiado, o terrorismo na América Central vinha em segundo lugar como a matéria do dia. A bem da verdade, Shultz considerava o que acontecia na América Central como a manifestação mais alarmante do flagelo terrorista. Segundo ele, o principal problema era "um câncer bem aqui no nosso hemisfério"[3], e nós precisamos extirpá-lo, e era melhor fazer isso logo porque esse câncer estava apregoando abertamente os objetivos expostos por Hitler em *Minha luta* e estava

---

3. Ver os ensaios de Jack Spence e Eldon Kenworthy in Thomas Walker (org.), *Reagan vs. the Sandinistas* [Reagan contra os sandinistas]. Boulder, Westview, 1987.

prestes a conquistar o mundo. E ele era de fato perigoso. O perigo era tão grave que no Dia do Direito de 1985 o presidente declarou estado de emergência nacional por causa, em suas palavras, "da incomum e extraordinária ameaça à segurança nacional e à política externa dos Estados Unidos" representada por esse câncer. (A propósito, o Dia do Direito acontece no dia 1º de maio, que no resto do mundo é comemorado como um dia de solidariedade com as lutas dos trabalhadores americanos. Nos Estados Unidos, é um feriado chauvinista.)

Esse estado de emergência foi renovado ano após ano até que, finalmente, o câncer foi extirpado. O secretário de Estado Shultz explicou que o perigo era tão grave que não se podiam usar métodos suaves; de acordo com suas próprias palavras (14 de abril de 1986): "Negociações são um eufemismo para capitulação se a sombra do poder não se projeta sobre a mesa de negociação." Ele condenou aqueles que "buscam meios legalistas utópicos como a mediação externa, as Nações Unidas e o Tribunal Internacional, enquanto ignoram o elemento do poder da equação".

De fato, os Estados Unidos vinham exercendo o elemento do poder da equação com forças mercenárias baseadas em Honduras sob a supervisão de John Negroponte, ao mesmo tempo que conseguiam bloquear a busca por métodos legalistas utópicos feita pelo Tribunal Internacional, pelos países latino-americanos e, é claro, pelo próprio câncer, disposto a dominar o mundo.

A mídia concordou. Na verdade, a única questão que foi levantada tinha que ver com a tática. Houve o debate habitual entre falcões e pombas. A posição dos falcões foi externada muito bem pelos editores do *The New Republic* (4 de abril de 1984). Em outras palavras, eles exigiam que continuássemos a enviar ajuda militar aos "fascistas de estilo latino... a despeito da quantidade de pessoas assassinadas", porque "existem prioridades americanas mais importantes do que os direitos humanos dos salvadorenhos" ou de qualquer outro povo da região. Esses são os falcões.

Por outro lado, as pombas argumentavam que esses métodos simplesmente não iriam funcionar, e propuseram métodos alternativos para devolver a Nicarágua – o câncer – ao "modelo centro-americano", além de lhe impor "padrões regionais de conduta". São palavras do *Washington Post* (edições de 14 e de 19 de março de 1986). O modelo centro-americano e os padrões regionais de conduta eram os dos Estados terroristas de El Salvador e da Guatemala, que naquela época estavam massacrando, torturando e aplicando uma política de terra arrasada de um modo que eu não preciso descrever. Portanto, de acordo com as pombas, também tínhamos de devolver a Nicarágua ao modelo centro-americano.

Com relação a esse tema, os artigos assinados e os editoriais da imprensa nacional estavam divididos mais ou menos ao meio entre os falcões e as pombas. Havia exceções, mas elas literalmente correspondem à margem estatística de erro. Se quiserem consultar, existe material publicado sobre isso, na verdade já há bastante tempo[4]. Na outra região importante assolada pela epidemia naquele momento – o Oriente Médio –, a uniformidade de procedimento foi ainda mais extrema.

Mesma guerra, alvos diferentes

Bem, o marciano inteligente certamente prestaria muita atenção a toda essa história bem recente, que apresenta, na verdade, uma admirável continuidade. Portanto, as primeiras páginas em Marte informariam que a assim chamada guerra ao terror é redeclarada pelas mesmas pessoas contra alvos semelhantes, embora – ele ressaltaria – os alvos não sejam exatamente os mesmos.

Os inimigos perversos da própria civilização em 2001 eram, na década de 1980, os guerreiros da liberdade or-

---

[4]. Ver Chomsky, Noam. *Necessary Illusions* [Ilusões necessárias]. Boston, South End, 1989, para alguns comentários e fontes.

ganizados e armados pela CIA e seus parceiros e treinados pelas mesmas forças especiais que estão procurando por eles nas cavernas do Afeganistão. Eles eram um componente da primeira guerra contra o terror e agiam praticamente do mesmo modo que os outros componentes dessa guerra.

Eles não esconderam sua pauta terrorista – que começara bem antes, na verdade, em 1981, quando assassinaram o presidente do Egito, e que continua a mesma. Ela incluiu ataques terroristas no interior da Rússia, tão violentos que, a certa altura, quase levaram a uma guerra com o Paquistão. Esses ataques cessaram depois que os russos saíram do Afeganistão, em 1989, deixando o país destruído nas mãos dos preferidos dos americanos, os quais imediatamente voltaram para os assassinatos em massa, estupros e terror – um período geralmente descrito como o pior da história do Afeganistão. Eles agora estão de volta, controlando a região fora dos limites de Cabul. Segundo a edição de hoje do *Wall Street Journal* (22 de janeiro de 2002), dois dos maiores senhores da guerra estão agora chegando perto do que poderia vir a ser uma guerra de grandes proporções. Esperemos que não.

Todos esses acontecimentos dão primeira página na imprensa marciana – juntamente, é claro, com tudo o que eles significam para a população civil. Isso inclui um grande número de pessoas que ainda se encontram desesperadamente carentes de comida e de outros suprimentos; embora a comida esteja disponível há meses, ela não pode ser distribuída por causa das condições reinantes. E isso já faz quatro meses.

Não conhecemos – e, na verdade, nunca conheceremos – as consequências disso. Como existe um princípio da cultura intelectualizada que diz que, embora investiguemos os crimes do inimigo nos mínimos detalhes, nunca olhamos para os nossos próprios crimes – e isto é realmente importante –, só podemos ter estimativas muito vagas do número de cadáveres vietnamitas, salvadorenhos ou de outras nacionalidades que deixamos pelo caminho.

A heresia da equivalência moral

Como eu digo, estes temas virariam manchete em Marte. Além disso, um bom repórter marciano desejaria esclarecer algumas ideias básicas. Em primeiro lugar, ele gostaria de saber precisamente o que é terrorismo. E, em segundo lugar, qual é a reação adequada a ele. Bem, qualquer que seja a resposta à segunda pergunta, a reação adequada deve satisfazer alguns truísmos morais. E o marciano pode descobrir facilmente que truísmos são esses, pelo menos tal como os líderes da autodeclarada guerra contra o terrorismo os entendem, porque eles nos dizem – e o fazem constantemente – que são cristãos muito piedosos e que, por essa razão, respeitam os Evangelhos, e com certeza sabem de cor a definição de "hipócrita" que eles trazem com destaque – a saber, hipócritas são aqueles que aplicam aos outros os padrões que eles se recusam a aceitar para si mesmos.

Assim, o marciano entende que para nos situarmos no nível moral absolutamente mínimo temos de concordar – na verdade, insistir – que, se um ato é correto quando nós o praticamos, então ele é correto quando os outros o praticam; e se é errado quando os outros o praticam, é errado quando nós o praticamos. Ora, este é o mais elementar dos truísmos morais e, uma vez que o marciano perceba isso, ele pode fazer as malas e voltar para Marte. Porque a investigação que ele veio fazer terminou. Ele provavelmente não encontraria uma frase, uma única frase, na ampla cobertura e nos comentários sobre a guerra contra o terrorismo que ao menos chegue perto de abordar esse padrão mínimo. Vocês não precisam confiar cegamente no que eu estou dizendo; façam a experiência. Também não quero exagerar – embora seja muito raro, provavelmente vocês poderão encontrar a frase de vez em quando, escondida num canto de página.

Não obstante, esse truísmo moral é identificado no interior da corrente de pensamento hegemônica. Como é visto como uma heresia extremamente perigosa, torna-se necessário erguer barreiras inexpugnáveis contra ele, antes mesmo que qualquer pessoa o apresente, e mesmo que isso aconteça tão raramente. Na verdade, até existe um vocabulário técnico disponível no caso de alguém ter a ousadia de se envolver com a heresia, aquela heresia de que devemos nos pautar pelos truísmos morais que pretendemos respeitar. Os transgressores são declarados culpados de algo chamado relativismo moral – quer dizer, a sugestão de que apliquemos a nós mesmos os critérios que aplicamos aos outros. Ou talvez equivalência moral, um termo que foi inventado, creio, por Jeane Kirkpatrick, para afastar o risco de que alguém possa ter a ousadia de examinar nossos próprios crimes.

Ou talvez estejam praticando o crime de criticar a América. Ou são antiamericanos. O que é um conceito bastante interessante. Em outros lugares, o termo só é usado em Estados totalitários, como a Rússia dos velhos tempos, em que o antissovietismo era o crime mais grave de todos. Se alguém publicasse um livro na Itália chamado, digamos, *The Anti-Italians* [Os anti-italianos], vocês podem imaginar qual seria a reação nas ruas em Milão e Roma. O mesmo aconteceria em qualquer país em que a liberdade e a democracia fossem levadas a sério.

Uma definição inútil

Suponhamos, porém, que o marciano não se deixe intimidar pelas tiradas inevitáveis e pela onda de calúnias; e suponhamos que ele insista em obedecer aos truísmos morais mais elementares. Bem, como eu disse, se ele fizer isso, é melhor ir embora; mas suponhamos que, só por curiosidade, ele decida ficar e observar um pouco mais as coisas. O que acontecerá, então? Bem, voltamos à pergunta – uma pergunta importante – "O que é terrorismo?"

Existe um caminho adequado que um repórter marciano sério pode seguir para encontrar a resposta a essa pergunta: ver como as pessoas que declararam guerra contra o terrorismo o definem. Parece justo. E, na verdade, existe uma definição oficial de terrorismo no código e nos manuais do Exército, além de outros lugares. A definição é curta. Terrorismo, como reproduzo a seguir, é definido como "o uso calculado da violência ou a ameaça da violência para atingir objetivos de natureza política, religiosa ou ideológica... por meio da intimidação e da coerção ou implantando o medo". Bem, parece simples; até onde eu posso ver, é uma definição adequada. Sempre lemos, porém, que definir terrorismo é um problema muito espinhoso e complexo, e o marciano poderia se perguntar o que haveria de verdade nisso. E existe uma resposta.

A definição oficial é inútil. E é inútil por duas razões importantes. Em primeiro lugar, trata-se de uma paráfrase muito próxima da política oficial do governo – na verdade, extremamente próxima. Quando se trata de política governamental, o terrorismo é chamado de conflito de baixa intensidade ou contraterrorismo.

A propósito, não são apenas os Estados Unidos que agem assim; até onde eu sei, essa prática é universal. Apenas como exemplo, em meados da década de 1960, a Rand Corporation – empresa de pesquisa ligada ao Pentágono – publicou uma coletânea de interessantes manuais de contrainsurgência japoneses relacionados à agressão japonesa contra a Manchúria e o norte da China na década de 1930. Aquilo despertou meu interesse – escrevi um artigo à época comparando os manuais de contrainsurgência japoneses com os manuais de contrainsurgência americanos para o Vietnã do Sul e mostrando como eles são praticamente idênticos[5]. Devo dizer que o artigo não foi muito bem recebido.

Bem, seja como for, essa é a realidade, e, até onde eu sei, é uma realidade universal. Portanto, este é um dos motivos pelos quais não se pode usar a definição oficial. O outro motivo é muito mais simples: as respostas que ela dá no que diz respeito à identidade dos terroristas estão todas erradas, absolutamente erradas. Assim, a definição oficial de terrorismo tem de ser abandonada, e precisamos buscar algum tipo de definição sofisticada que dará as respostas certas – o que dá trabalho. É por isso que vocês ouvem dizer que se trata de um assunto difícil, que mentes brilhantes estão debruçadas sobre ele, e por aí vai.

Felizmente, existe uma solução. A solução é definir terrorismo como o terrorismo cujo alvo somos nós, quem quer que sejamos. Até onde eu sei, isso é universal – no jornalismo, no mundo acadêmico, e, além disso, creio que é universal historicamente falando; pelo menos nunca encontrei um país que não adote essa prática. Assim, felizmente, temos como resolver o problema. Bem, com essa caracterização útil de terrorismo, podemos

---

5. *Libération*, set.-out. 1967. Reproduzido em Chomsky, Noam. *American Power and the New Mandarins* [O poder americano e os novos mandarins], Nova York, Pantheon, 1969.

então tirar as conclusões-padrão que vocês não se cansam de ler: a saber, que nós e nossos aliados somos as principais vítimas do terrorismo, e que o terrorismo é a arma dos fracos.

É claro que, no sentido oficial, o terrorismo é uma arma dos fortes, como a maioria das armas; porém, desde que se entenda por "terrorismo" somente o terrorismo que é dirigido contra nós, ele é, por definição, uma arma dos fracos. Então, é claro que é verdade, por definição, que o terrorismo é uma arma dos fracos. E, portanto, as pessoas que escrevem isso o tempo todo – que vocês veem nos jornais e nos periódicos – estão certas; trata-se de uma tautologia, e, além do mais, uma tautologia aceita de comum acordo.

Terrorismo clássico

Suponhamos que o marciano queira desafiar o que aparentemente são convenções universais, e que ele realmente aceite os truísmos morais que são pregados e, além disso, que ele até mesmo aceite a definição oficial americana de terrorismo. Devo dizer que, a essa altura, ele deve estar no espaço sideral, mas, sigamos em frente. Se ele chegar até esse ponto, então certamente existem exemplos claros de terrorismo. Por exemplo, o 11 de Setembro é um caso especialmente chocante de uma atrocidade terrorista. Outro exemplo igualmente claro é a reação dos Estados Unidos e da Inglaterra, que foi anunciada pelo almirante sir Michael Boyce, chefe do Estado-Maior britânico, e reproduzida numa matéria de primeira página no *New York Times* do final de outubro (28 de outubro de 2001). Ele informava a população do Afeganistão que os Estados Unidos e a Inglaterra continuariam a atacá-los "até que eles trocassem sua liderança".

Percebam que, de acordo com a definição oficial, este é um exemplo clássico de terrorismo internacional; não vou lê-la novamente, mas se vocês refletirem sobre ele, verão que é um exemplo perfeito.

Duas semanas antes dessa declaração, George Bush havia informado os afegãos, a população do Afeganistão, de que o ataque prosseguiria até que eles entregassem os suspeitos procurados. Lembrem-se de que a derrubada do regime Talibã foi uma espécie de ideia tardia que veio à baila algumas semanas depois do bombardeio, basicamente para ajudar os intelectuais, de modo que eles pudessem explicar quão justa era a guerra.

É claro que este também foi um ato de terrorismo clássico: vamos continuar a bombardeá-los até que vocês nos entreguem quem queremos. Na verdade, o regime talibã pediu que se apresentassem provas, mas os Estados

Unidos rejeitaram o pedido com desdém. Exatamente na mesma ocasião, os Estados Unidos também recusaram categoricamente até mesmo a considerar as ofertas de extradição, que poderiam ter sido sérias ou não; como foram rejeitadas, nunca saberemos.

O marciano certamente tomaria nota de tudo isso, e se pesquisasse um pouco logo encontraria as razões, acrescentando muitos outros exemplos. As razões são muito simples: os dirigentes do mundo precisam deixar claro que eles não se submetem a nenhuma autoridade. Portanto, não aceitam a ideia de que deveriam apresentar provas, não concordam que deveriam solicitar a extradição; na verdade, eles rejeitam a autorização do Conselho de Segurança da ONU, rejeitam-na categoricamente. Os Estados Unidos poderiam ter obtido facilmente uma autorização clara e inequívoca – não por motivos justificáveis, mas poderiam tê-la obtido. No entanto, eles rejeitaram essa opção.

E isso faz todo o sentido. Na verdade, até existe uma expressão para essa postura na literatura das relações internacionais e da diplomacia: "impor a credibilidade". Outra forma de se expressar é declarar que "somos um Estado terrorista e é melhor vocês saberem das consequências caso se metam no nosso caminho". É claro que isso só se justifica se interpretarmos "terrorismo" no sentido oficial, tal como está definido no código legal do governo americano, e assim por diante, o que é inaceitável pelas razões que eu mencionei.

Casos incontestáveis

Retomemos os truísmos morais. Segundo a doutrina oficial, que é aceita quase por todo o mundo e descrita como justa e admirável, obviamente, os Estados Unidos têm o direito de conduzir uma guerra terrorista contra os afegãos até que eles entreguem os suspeitos aos Estados Unidos – que se recusam a apresentar provas ou solicitar sua extradição –, ou, nas palavras de Boyce ditas posteriormente, "até que eles troquem sua liderança". Bem, qualquer um que não seja hipócrita – no sentido que os Evangelhos dão à palavra – concluirá, portanto, que o Haiti tem o direito de lançar uma ação terrorista em larga escala contra os Estados Unidos até que eles entreguem Emmanuel Constant, um assassino que já foi condenado por liderar forças terroristas que foram as principais responsáveis pela morte de 4 a 5 mil pessoas.

Neste caso, não há nenhuma dúvida quanto às provas. O Haiti solicitou a extradição de Constant inúmeras vezes, a última delas no dia 30 de setembro de 2001, bem no meio dessa conversa toda de submeter o Afeganistão ao terrorismo caso não entregasse os terroristas suspeitos. É claro, o que são 4 ou 5 mil negros? Acho que não eles não têm o mesmo peso.

Ou talvez eles devessem desencadear uma intensa campanha de terror nos Estados Unidos. Como eles não têm capacidade de bombardear, poderiam usar o bioterror ou algo assim, não sei, até que os Estados Unidos trocassem sua liderança – que é, de fato, responsável por crimes terríveis contra o povo haitiano ao longo de todo o século XX.

Ou, certamente, atendo-me agora aos truísmos morais, a Nicarágua tem o direito de fazer o mesmo, tomando como alvo, a propósito, os líderes da redeclarada guerra ao terrorismo, com frequência as mesmas pessoas. Recordem-se de que o ataque terrorista contra a Nicarágua foi muito mais violento do que o próprio 11 de Setembro; dezenas de milhares de pessoas foram mortas e o país foi arrasado; talvez nunca mais se recupere.

Além disso, acontece que este exemplo é incontestável, portanto, não precisamos discorrer sobre ele. É incontestável por causa da decisão do Tribunal Internacional condenando os Estados Unidos por terrorismo internacional, com o apoio dado pelo Conselho de Segurança, por meio de uma resolução em que conclamava todos os Estados a cumprirem o direito internacional – embora não tenha citado nenhum país, todos sabiam a quem era endereçada a resolução –, a qual foi vetada pelos Estados Unidos, com a abstenção da Inglaterra. Ou a decisão da Assembleia Geral, em sucessivas resoluções, ratificando a mesma posição, que teve a oposição dos Estados Unidos e de um ou dois Estados clientes. O Tribunal Internacional ordenou que os Estados Unidos pusessem fim ao crime de terrorismo internacional e que pagasse pesadas reparações. Os Estados Unidos responderam com uma decisão apoiada pelos dois partidos de intensificar o ataque imediatamente; já descrevi a reação da mídia. Tudo isso prosseguiu até que o câncer foi destruído, e prossegue até hoje.

Então, em novembro de 2001, bem no meio da guerra contra o terrorismo, houve uma eleição na Nicarágua, na qual os Estados Unidos intervieram de maneira radical. Eles advertiram a Nicarágua de que não aceitariam um resultado errado, e ainda explicaram o motivo. O Departamento de Estado explicou que nós não podemos deixar de tomar conhecimento do papel da Nicarágua no terrorismo internacional na década de 1980, quando o país resistiu ao ataque terrorista internacional que levou à condenação dos Estados Unidos por terrorismo internacional pelas mais altas autoridades internacionais.

Aqui, numa cultura acadêmica meramente dedicada de maneira apaixonada ao terrorismo e à hipocrisia, isso tudo passa em branco, mas acho que deve ter rendido algumas manchetes na imprensa de Marte. Vocês podem dar uma olhada e verão como o assunto foi tratado aqui. A propósito, vocês também podem testar sua teoria favorita de "guerra justa" neste caso incontestável.

A domesticação da maioria

É claro que a Nicarágua tinha meios de se defender contra o terrorismo internacional dirigido pelos Estados Unidos contra ela sob o pretexto de uma guerra contra o terrorismo. Isto é, a Nicarágua tinha um exército. Nos outros países da América Central, as forças terroristas que foram armadas e treinadas pelos Estados Unidos e seus clientes eram o próprio exército; não surpreende, portanto, que as atrocidades terroristas tenham sido muito piores. Era a esse modelo de América Central que as pombas queriam reintegrar o câncer. Porém, como nesse caso as vítimas não eram um país, elas não podiam apelar ao Tribunal Internacional nem ao Conselho de Segurança em busca de decisões que seriam rejeitadas e jogadas no lixo da história – exceto, talvez, em Marte.

Os efeitos dessa atividade terrorista foram duradouros. Aqui nos Estados Unidos existe uma enorme preocupação – extremamente justificada, a bem da verdade – com as múltiplas consequências das atrocidades terroristas do 11 de Setembro. Por exemplo, o *New York Times* publicou um artigo de primeira página (22 de janeiro de 2002) sobre as pessoas cujo seguro não cobre as consequências da tragédia que elas sofreram. É claro que se pode dizer o mesmo das vítimas de crimes terroristas muito piores, mas isso só é notícia em Marte.

Por exemplo, vocês podem tentar encontrar o relatório de uma conferência dada por jesuítas salvadorenhos alguns anos atrás. As experiências pelas quais eles passaram com o terrorismo internacional americano foram excepcionalmente terríveis. O relatório da conferência[6] ressaltava o efeito residual do que ele denominava cultura do terrorismo, que domestica as aspirações da maioria das pessoas, que perceberam que deviam se submeter aos ditames do Estado terrorista vigente e de seus agentes locais ou seriam mandadas de volta ao modelo da América Central, tal como recomendado pelas pombas no auge do terrorismo internacional apoiado pelo Estado da década de 1980.

---

6. *Envío*, mar. 1994.

Aqui não saiu nada, é claro; em Marte pode ter virado manchete.

Parceiros entusiasmados

Na verdade, pode ser que o marciano perceba algumas outras semelhanças interessantes entre a primeira e a segunda fase da guerra ao terror. Em 2001, praticamente todos os Estados terroristas correram para se juntar à coalizão contra o terrorismo, e os motivos são claros.

Todos sabem por que os russos demonstram tanto entusiasmo: eles querem o aval americano para suas monstruosas atividades terroristas na Chechênia, por exemplo.

A Turquia mostrou-se especialmente entusiasmada. Foi o primeiro país a oferecer tropas, e o primeiro-ministro explicou por quê. Era um gesto de gratidão pelo fato de que só os Estados Unidos se dispuseram a manter um fluxo considerável de armas para a Turquia – fornecendo 80 por cento do armamento turco durante os anos Clinton – a fim de possibilitar que o país pusesse em prática algumas das piores atrocidades terroristas e de limpeza étnica da década de 1990. E, como são muito gratos por isso, eles ofereceram tropas para a nova guerra contra o terrorismo. A propósito, lembrem-se de que nada disso é considerado terrorismo, porque, pelo que se convencionou, como somos nós que estamos conduzindo a operação, não é terrorismo. E por aí vai a lista, mas não vou me deter nos outros casos.

A propósito, a mesma coisa aconteceu na primeira fase da guerra contra o terrorismo. Assim, o anúncio feito pelo almirante Boyce que eu citei foi uma perfeita paráfrase das palavras que o conhecido estadista israelense Abba Eban pronunciou em 1981. Seu pronunciamento aconteceu logo depois que a primeira guerra contra o terrorismo foi declarada. Eban estava justificando as atrocidades israelenses no Líbano, que ele reconhecia serem extremamente impressionantes, mas justificadas, disse ele, porque "havia uma expectativa razoável de que as populações afetadas pressionariam por uma cessação das hostilidades"[7]. Observem que este é mais um exemplo clássico de terrorismo internacional no sentido oficial do termo.

As hostilidades a que ele se referia ocorriam na fronteira Israel-Líbano e, em sua esmagadora maioria, eram causadas por Israel, frequentemente sem nem mesmo um pretexto, porém apoiadas pelos Estados Unidos. Por essa razão, então, convencionou-se que elas não se ca-

---
7. *Jerusalem Post*, 16 ago. 1981.

racterizam como terrorismo e não fazem parte da história do terrorismo. Na época, Israel estava atacando o Líbano com o apoio decisivo dos Estados Unidos, bombardeando o país e cometendo outras atrocidades, na tentativa de achar um pretexto para uma invasão que já estava planejada. Bem, embora não tivessem conseguido achar um pretexto, invadiram assim mesmo, matando cerca de 18 mil pessoas. E continuaram a ocupar o sul do Líbano por mais ou menos vinte anos, cometendo inúmeras atrocidades – mas nada disso saiu na imprensa, porque os Estados Unidos apoiavam firmemente Israel.

Atrocidades que concorrem ao prêmio

Tudo isso chegou a um ponto máximo – o ataque pós-1982, em 1985, que foi o ano em que as atrocidades americano-israelenses no sul do Líbano atingiram o auge, que ficaram conhecidas como operações Punho de Ferro. Tratava-se de massacres e deportações em larga escala do que o alto-comando chamava de "aldeões terroristas". Sob as ordens do primeiro-ministro Shimon Peres, essas operações são uma das candidatas ao prêmio de pior crime terrorista internacional do ano crítico de 1985 – lembrem-se, o ano em que o terrorismo foi o principal tema jornalístico.

Existem outros concorrentes. Um deles, também no início de 1985, foi a enorme explosão de um carro-bomba em Beirute. O carro-bomba fora estacionado do lado de fora de uma mesquita, tendo sido programado para explodir bem na hora em que todos estivessem saindo da mesquita, para causar o maior número de vítimas. Segundo o *Washington Post*[8] – que fez um balanço assustador do atentado –, o saldo foi de oitenta mortos e mais de duzentos e cinquenta feridos. A maioria eram mulheres e crianças, mas como era uma bomba enorme e com alto poder de destruição, a explosão matou crianças pequenas em suas camas, além de causar inúmeras outras atrocidades. Mas isso não conta, porque a operação foi organizada pela CIA e pelo serviço de inteligência britânico; logo, não é terrorismo. Assim, esse não é um candidato genuíno ao prêmio.

Ora, o outro único concorrente possível no ano crítico de 1985, foi o bombardeio israelense de Túnis, que matou setenta e cinco pessoas; repórteres de valor da imprensa israelense fizeram alguns relatos horripilantes. Os Estados Unidos cooperaram com a atrocidade, deixando de informar a seu aliado tunisiano que os bombardeios estavam a caminho. O secretário de Estado

---

8. *Washington Post Weekly*, 14 mar. 1988.

George Schulz ligou imediatamente para o primeiro-ministro israelense, Yitzhak Shamir, para informá-lo de que os Estados Unidos tinham uma enorme simpatia pela ação militar, conforme ele se expressou. No entanto, quando o Conselho de Segurança condenou por unanimidade – com a abstenção dos Estados Unidos – a ação militar como um ato de agressão armada, Shultz retirou seu apoio aberto a este episódio de terrorismo internacional.

Continuemos a conceder a Washington e seus clientes o benefício da dúvida, como no caso da Nicarágua, e admitamos que o crime foi apenas um ato de terrorismo internacional, não o crime muito mais grave de agressão, como o Conselho de Segurança determinou. Se foi agressão, então, observando os truísmos morais, caímos nos julgamentos de Nurembergue.

Estes são os únicos três casos que mal se aproximam do nível daquele ano crítico de 1985. Algumas semanas depois do bombardeio de Túnis, o primeiro-ministro Peres veio a Washington, onde fez coro com Ronald Reagan ao denunciar "o flagelo maligno do terrorismo" no Oriente Médio. Nada do que acabamos de relatar suscitou o menor comentário, e é assim mesmo, porque se convencionou que nada disso é terrorismo. Lembrem-se do combinado: só é terrorismo quando eles fazem isso com a gente. Quando nós fazemos muito pior com eles, não é terrorismo. Outra vez o princípio universal. Bem, ainda que não seja objeto de discussão por aqui, o marciano deve perceber isso.

Minha crítica favorita eu a recebi quando escrevi um artigo sobre esse assunto faz alguns anos. Escrita pelo correspondente do *Washington Post* no Oriente Médio, ela foi publicada no jornal em 18 de setembro de 1988. Ele a resumiu em poucas palavras: "ansiosamente desequilibrado". Eu até que gosto dela. Acho que ele se enganou quanto à ansiedade – se vocês lerem o artigo, perceberão que seu tom é tranquilo –, mas desequilibrado está certo. Quer dizer, você tem de ser um desequilibrado para aceitar truísmos morais elementares e para expor fatos que não deveriam ser expostos. Isso provavelmente é verdade.

Desculpas desprezíveis

Vamos voltar ao marciano. Ele deve estar perplexo diante da pergunta de por que, com relação ao Oriente Médio, 1985 é o pior ano em nossa época no que diz respeito à volta da barbárie pela ação de inimigos perversos da própria civilização? Sua perplexidade viria do fato de que os piores casos, de longe, de terrorismo internacional na região estão esquecidos no fundo do poço da memória, assim como ninguém se lembra do terrorismo internacional na América Central. E um monte de outros casos. Para dizer a verdade, casos atuais.

Não obstante, alguns casos de 1985 são lembrados, e muito bem lembrados, e é justo que o sejam, porque são atos de terrorismo. O prêmio oficial de terrorismo daquele ano vai para o sequestro do *Achille Lauro* e o assassinato de Leon Klinghoffer, um americano paralítico. Todos se lembram desse caso. No que fazem muito bem, pois foi uma atrocidade terrível. Ora, é claro que os perpetradores dessa atrocidade descreveram-na como uma retaliação ao bombardeio de Túnis uma semana antes, um caso muitíssimo mais grave de terrorismo internacional. Mas nós, muito acertadamente, repudiamos essa desculpa com o desprezo que ela merece.

E todos aqueles que não se consideram covardes nem hipócritas vão assumir a mesma posição baseada em princípios com relação a todos os atos violentos de retaliação, entre eles, por exemplo, a guerra no Afeganistão. Lembrem-se de que essa guerra foi iniciada com a clara e inequívoca expectativa de que ela poderia salvar milhões de pessoas que estavam à beira da inanição. Como eu disse, nunca saberemos. Por razões de princípio.

Ou atrocidades menores, como as retaliações nos territórios ocupados por Israel que estão acontecendo neste momento – como sempre, com o apoio total dos Estados Unidos; logo, não se trata de terrorismo. O marciano certamente poria na primeira página que agora mesmo os Estados Unidos estão usando novamente o pretexto da guerra ao terror para proteger – e provavelmente ampliar – o terrorismo de seu principal Estado cliente.

A última fase dessa operação começou no dia 1º de outubro de 2000. A partir desse dia – o primeiro após o início da atual intifada –, helicópteros israelenses começaram a atacar palestinos desarmados com mísseis, matando e ferindo dezenas deles. Não houve nenhuma desculpa de autodefesa. [Comentário paralelo: quando vocês lerem a expressão "helicópteros israelenses" devem entender helicópteros americanos pilotados por israelenses, fornecidos com pleno conhecimento de como eles serão utilizados.]

Clinton deu uma resposta imediata à atrocidade. Dois dias depois, no dia 3 de outubro de 2000, ele providenciou o envio a Israel do maior carregamento de helicópteros militares em uma década, juntamente com peças de reposição para os helicópteros de ataque Apache que haviam sido enviados em meados de setembro. A imprensa colaborou recusando-se a fazer qualquer comentário sobre o caso – vejam bem, não deixando de noticiar, mas recusando-se a fazê-lo; ela estava a par de tudo.

No mês passado, a imprensa marciana certamente teria dado manchetes à intervenção de Washington para aumentar ainda mais a escalada de terror naquela região. No dia 14 de dezembro, os Estados Unidos vetaram uma resolução do Conselho de Segurança que exigia a implementação das propostas de Mitchell e o envio de observadores internacionais para monitorar a redução da violência. Ela seguiu imediatamente para a Assembleia Geral, onde recebeu os votos contrários dos Estados Unidos e também de Israel; por essa razão, ela desapareceu. Podem verificar a cobertura.

Uma semana antes houve uma conferência em Genebra dos membros ilustres da Quarta Convenção de Genebra, que estão obrigados por um tratado solene a fazer que ela seja cumprida. Como vocês sabem, a Convenção foi instituída após a Segunda Guerra Mundial para tornar crime as atrocidades nazistas. A Convenção proíbe rigorosamente quase tudo o que os Estados Unidos e Israel fazem nos territórios ocupados, incluindo os assentamentos que foram implantados e expandidos com recursos e o apoio total dos Estados Unidos, tendo se ampliado sob os governos de Clinton e Barak durante as negociações de Camp David. Israel é o único país que rejeita essa interpretação.

Quando o assunto chegou ao Conselho de Segurança em outubro de 2000, os Estados Unidos se abstiveram, aparentemente por não quererem adotar uma posição tão ostensiva na violação dos princípios fundamentais do direito internacional, especialmente considerando-se as circunstâncias em que eles foram promulgados. Por essa razão, o Conselho de Segurança decidiu por catorze a zero apelar para que Israel apoiasse a Convenção, a qual ele estava violando novamente de maneira escandalosa. Na era pré-Clinton, os Estados Unidos haviam acompanhado o voto dos outros membros na condenação das "escandalosas violações" da Convenção por parte de Israel. Essa atitude é coerente com a prática de Clinton de anular na prática o direito internacional e as decisões anteriores da ONU sobre a questão Israel-Palestina.

A mídia nos informa que os árabes acreditam que a Convenção se aplica aos territórios, o que não está errado, embora exista uma espécie de omissão – dos árabes e de todo o mundo. O encontro de 5 de dezembro de 2001, do qual participaram todos os países da União Europeia, reiterou que a Convenção se aplicava aos territórios e que os assentamentos eram ilegais; apelou a Israel, querendo dizer Estados Unidos e Israel, que se submetesse ao direito internacional. Os Estados Unidos boicotaram o encontro, anulando-o na prática. Vocês podem verificar a cobertura de novo.

Essas atitudes contribuíram para a escalada do terrorismo na região, incluindo seu componente mais violento, e a mídia deu a contribuição de sempre.

Respostas ao terrorismo

Suponhamos, finalmente, que nos juntemos ao observador marciano e nos afastemos radicalmente do que se convencionou. Que nós aceitemos os truísmos morais. Se pudermos nos alçar até esse nível, então, e só então, poderemos levantar a questão de como responder aos crimes terroristas.

Uma das respostas é seguir o precedente dos países que se submetem à lei: o precedente da Nicarágua, por exemplo. É claro que nesse caso não deu certo, porque eles depararam com o fato de que o mundo é governado pela força, não pela lei; mas isso não aconteceria com os Estados Unidos. No entanto, essa opção evidentemente está excluída. Ainda estou para ver uma frase que faça referência àquele precedente na cobertura maciça dos últimos meses.

Bush e Boyce deram outra resposta, mas nós a rejeitamos de imediato porque ninguém acredita que o Haiti, a Nicarágua ou Cuba – além de uma extensa lista de outros países no mundo todo – tenham o direito de lançar ataques terroristas maciços contra os Estados Unidos e seus clientes, ou contra outros países ricos e poderosos.

Uma resposta mais razoável foi dada por diversas fontes, entre elas o Vaticano, tendo sido detalhada pelo preeminente historiador militar anglo-americano Michael Howard em outubro último. Na verdade, ela foi publicada na presente edição de *Foreign Affairs* (jan.-fev. 2002), o principal periódico do *establishment*. Ora, Howard tem todas as credenciais apropriadas e um enorme prestígio; como é um grande admirador do Império Britânico e, de maneira ainda mais extravagante, de seu sucessor no controle do mundo, ele não pode ser acusado de relativismo moral ou de outros crimes semelhantes.

Referindo-se ao 11 de Setembro, ele recomendou que fosse feita uma operação policial contra uma conspiração criminosa cujos membros deveriam ser capturados e levados diante de um tribunal internacional, onde poderiam ter um julgamento justo e, se fossem considerados culpados, receberiam uma sentença adequada. Isso jamais foi levado em consideração, é claro, mas me parece bastante razoável. Se for razoável, então deve valer para crimes terroristas ainda piores. Por exemplo, a agressão terrorista internacional americana contra a

Nicarágua, ou ainda outros casos piores nas vizinhanças e em outros lugares que acontecem até hoje. Isso jamais poderia ser levado em consideração, é claro, mas por motivos opostos.

Portanto, a integridade nos deixa diante de um dilema. A resposta fácil é a hipocrisia de costume. A outra opção é a que foi adotada por nosso amigo marciano, o qual, na verdade, submete-se aos princípios que, com notável farisaísmo, nós seguimos. Esta opção é mais difícil de considerar, mas é imperativa se quisermos poupar o mundo de desgraças ainda piores.

SOBRE O AUTOR

NOAM CHOMSKY é um ativista político de renome mundial, escritor, além de professor de linguística no Instituto de Tecnologia de Massachusetts (MIT), onde leciona desde 1955. Publicou diversos livros e tem dado inúmeras palestras sobre linguística, filosofia e política. Entre suas obras estão *Hegemony or Survival* [*Hegemonia ou sobrevivência*]; *Power and Prospect* [Poder e perspectiva]; *World Orders, Old and New* [Ordens mundiais, novas e velhas]; *Deterring Democracy* [*Contendo a democracia*]; *Manufacturing Consent* (com E. S. Herman)[A construção do consenso]; *Year 501: the Conquest Continues* [Ano 501: a conquista continua]; *Profit Over People* [*O lucro ou as pessoas?*]; *The New Military Humanism* [O novo humanismo militar]; *Rogue States* [Países delinquentes]; *A New Generation Draws the Line* [*Uma nova geração define o limite*], e o *best-seller* internacional *9-11* [*11 de Setembro*].

GRÁFICA PAYM
Tel. [11] 4392-3344
paym@graficapaym.com.br